à Denis Goulet

avec qui j'ai
beaucoup d'atomes
crochus

Louis Sabourin
20 juin 1992

PASSION D'ÊTRE, DÉSIR D'AVOIR

# Louis Sabourin

# PASSION D'ÊTRE, DÉSIR D'AVOIR

## Le dilemme Québec-Canada dans un univers en mutation

Boréal

Cet ouvrage a été publié avec l'appui du Programme
de subvention globale du Conseil des Arts du Canada.


Conception graphique: Gianni Caccia


© Les Éditions du Boréal
Dépôt légal – 2ᵉ trimestre 1992
Bibliothèque nationale du Québec


Diffusion au Canada: Dimedia
Distribution en Europe: Les Éditions du Seuil


*Données de catalogage avant publication (Canada)*

Sabourin, Louis, 1935-

Passion d'être, désir d'avoir: le dilemme Québec-Canada dans un univers
en mutation

Comprend des références bibliographiques et un index.

ISBN 2-89052-480-9

1. Relations fédérales-provinciales (Canada) - Québec (Province). 2. Nationalisme - Québec (Provinciale). 3. Québec (Province - Histoire - Autonomie
et mouvements indépendantistes). 4. Canada - Droit constitutionnel -
Amendements. 5. Fédéralisme - Canada. I. Titre.

JL246.S8522 1992      320.9714      C92-096609-8

*À Agathe,*

*qui a partagé avec ténacité*
*un long trajet*
*et veillé d'un œil critique*
*à la maturation de ce projet.*

*Eppur', si muove!*
(Galilée, 1633)


*Nous ne pouvons nous arrêter*
*quand autour de nous*
*le monde entier est en mouvement.*
(Jean Monnet, 1976)

# EN GUISE D'AVANT-PROPOS

*Un dilemme aux origines lointaines...*

On raconte que saint Pierre fit part d'une certaine réserve lorsqu'il prit connaissance des desseins que le Créateur avait à l'esprit au sujet du Canada:

«Seigneur, Vous qui êtes l'essence même de la justice, comment pouvez-vous accorder autant de bienfaits à un seul pays? La deuxième superficie territoriale et maritime du monde après celle de l'État qu'on appellera, à partir de 1991, la Communauté des États indépendants; des ouvertures sur trois océans, l'Atlantique, le Pacifique et l'Arctique; plus de deux millions de lacs, des milliers de rivières et certains des plus grands fleuves du monde; 10 pour 100 de toutes les forêts de la planète; d'immenses terres agricoles permettant au Canada d'avoir d'importants excédents alimentaires; des ressources minérales, végétales, hydrauliques, énergétiques et maritimes considérables; des secteurs éducationnel, industriel et technologique avancés; tout cela pour une population inférieure, à la fin du vingtième siècle, à trente millions d'habitants qui jouiront non seulement d'un des plus hauts niveaux de vie et d'une des meilleures qualités de vie du monde entier, mais aussi d'une liberté, d'une stabilité et d'une action internationale qui susciteront beaucoup d'envie, notamment dans les pays en développement. C'est trop pour un seul État!»

Le Créateur réfléchit quelques moments et répondit: «Pierre, attends que je leur donne six mois d'hiver; que j'y place des autochtones, des francophones, des anglophones et d'autres groupes ethniques et linguistiques; que je les encourage à créer une fédération où le Québec voudra un statut distinct; que je situe cet État entre les États-Unis d'Amérique et la CEI; alors plus personne ne dira que j'ai manqué aux principes de la justice universelle...»

CHAPITRE I

# LA CAUSE FONDAMENTALE DES TENSIONS QUÉBEC-CANADA:
le stade des perceptions,
des visions et des émotions

Bien que le Canada soit la septième puissance économique du monde occidental, l'évolution de sa politique interne fait rarement la manchette de la presse internationale, sauf à l'occasion d'événements éclatants, notamment lors du «Vive le Québec libre» du général de Gaulle, en 1967, et de la crise amérindienne, en 1990. Même lorsqu'ils y prêtent attention, peu d'étrangers en saisissent toute la complexité. Et pour cause!

Cependant, un nombre croissant d'observateurs internationaux s'y intéressent de plus en plus. D'abord, dans les milieux politiques, diplomatiques, économiques et financiers où, à l'ère de la mondialisation, de l'intégration et du secteur quaternaire de l'information et de la haute technologie, on est préoccupé par l'établissement et le démembrement d'États, d'organisations internationales, de structures ou d'ensembles à caractère fédéral. Ensuite, dans les milieux universitaires et intellectuels où, à l'époque contemporaine qualifiée comme étant celle du «postmodernisme», les études de Michel Serres et de Jean Baudrillard sur le «métissage» et la «déréalisation», et surtout les travaux de Jacques Derrida et de Michel

Foucault sur la «déconstruction» et le «relativisme socio-culturel», soulèvent de nombreux débats.

Ces deux courants contradictoires, en apparence, constitueraient une nouvelle dialectique mondiale. Le premier mettrait l'accent sur *l'avoir* et *le mieux-être économique,* alors que le second donnerait plus d'importance à *l'être* et aux *identités socioculturelles.*

S'agit-il d'un paradoxe ou d'un dilemme qui favoriserait des éclatements multiples ou de nouvelles formes de cohabitation dans un univers d'interactions, surtout dans les pays industrialisés où les consciences sont plus autonomes, les opinions publiques plus fluides, mais où les électorats veulent tout avoir sans faire trop d'efforts pour mieux savoir. On y trouve des groupes de plus en plus nombreux et segmentés qui clament la primauté de leurs idées respectives. Ces idées débouchent, la plupart du temps, sur leurs intérêts pour «le pain et le beurre» ainsi que sur leurs convictions morales et culturelles respectives, de même que sur leurs opinions politiques au sujet de projets à caractère institutionnel ou conjoncturel affectant leurs passions et leurs ambitions.

Cette antinomie ou dialectique mondiale reposerait, d'une part sur des notions de globalité et de continuité, d'unification et d'internationalisation. D'autre part, elle mettrait davantage en lumière des phénomènes reflétant des ruptures, des pluralités, des discontinuités de même que des déconstructions, des affirmations d'idées et des spécificités différentes.

Existerait-il un rapport, un lien de cause à effet entre cette dichotomie mondiale et de nombreuses perturbations nationales, notamment celles que connaît le Canada? Une meilleure compréhension de ce phénomène global pourrait-elle favoriser une meilleure explication de nombreuses réalités plus régionales? Est-ce une vision idéaliste ou plutôt une analyse rationnelle et perspicace? Malgré son évidence croissante, serait-on en présence d'une problématique mondiale illusoire, hypothétique, trop théorique et trop lointaine pour qu'elle puisse avoir un impact immédiat et pertinent à l'échelon local et national? Ou, de manière plus réaliste, s'agit-il d'une nouvelle dynamique, non seulement mondiale mais bien universelle, qu'il est urgent de mieux saisir et de mieux maîtriser, car ses effets sont déjà fort manifestes? Cette nouvelle problématique universelle, où la notion d'universalité n'est pas synonyme d'uniformité et encore moins de normalité et de conformité, mènera-t-elle, demain, à davantage de convergences plutôt qu'à un plus grand nombre de contradictions et de confrontations?

En réalité, il s'agit d'un univers en mutation que le Québec, le Canada et le reste du monde ne peuvent écarter mais doivent appréhender, car ils le subissent tous déjà d'une manière qui n'est pas toujours aisément perceptible, mais qui progresse d'une façon subtile et à un rythme implacable.

Une analyse sérieuse et sereine de cette dialectique universelle est cependant audacieuse au moment où, selon Gertrude Stein, «rien n'est en accord avec rien d'autre» et où une population mondiale, toujours en croissance exponentielle dans les pays en développement, est profondément partagée et angoissée. Partout, on souhaite un avenir meilleur, en particulier là où la faim, la misère, le sous-développement et les abus contre les droits de l'homme sont les plus évidents. Plusieurs songent à un nouvel ordre mondial, soit en faisant les efforts requis ou en se dégageant auprès de gouvernements de plus en plus contestés, soit en invoquant une Providence ou des divinités fort sollicitées ou, simplement, «en attendant Godot».

Ces comportements, que l'on voit aux quatre coins du monde, démontrent que les êtres sont profondément divisés entre eux ainsi qu'à l'intérieur d'eux-mêmes. Leur existence et leur vie reposent sur de nombreux dilemmes. Dans un univers éclaté, les choses simples seraient plus l'exception que la règle, contrairement aux messages et aux discours des fondamentalistes et des constructivistes qui professent l'inverse.

Ceci tient à l'insistance de plusieurs sur la pluralité des valeurs, sur la relativité des droits et des devoirs, sur la glorification du «moi» et d'un «nous» restrictif, sur la polyvalence des vérités, ainsi qu'à l'affirmation voulant que la connaissance humaine ne reposerait pas sur des certitudes absolues et universelles mais serait le produit de phénomènes locaux et de langages différents qui seraient autant de «signes» de l'absence d'une pensée linéaire, définitive et mondiale. Ces nombreuses interprétations d'un univers fragmenté et essentiellement «chaotique» ont aussi entraîné la montée de doctrines très variées et souvent opposées, ainsi que celle de mouvements fondamentalistes et nationalistes puissants et dérangeants.

Elles ont aussi forcé des institutions politiques, économiques, sociales, intellectuelles et religieuses, déjà bien établies, à contre-attaquer ou à se replier sur elles-mêmes, alors qu'apparaissent de nouveaux groupes et partis ainsi qu'une myriade de sectes en quête d'un nouvel âge, de modes de vie alternatifs, de convivialités diverses dont plusieurs sont souvent des fuites en avant ou des formes de contestations des institutions et des croyances traditionnelles. Ces dernières perdent de nombreux adeptes et fidèles influencés par des valeurs nouvelles véhiculées surtout par les médias, notamment la radio et la télévision, quand ce n'est pas par des marchands d'illusions.

Un nombre croissant de personnes se sentent prises entre le fer et l'enclume, d'une part, devant les progrès technologiques et la montée du matérialisme et de la consommation qui ont détruit plusieurs anciens mythes qu'elles chérissaient de même qu'un certain sens du divin, d'autre part, devant des réalités socio-économiques de même que des violences et des idéologies de toutes sortes qu'elles récusent. Les uns sont portés vers de nouvelles sortes d'évasions hallucinogènes aux effets régulièrement catastrophiques, alors que d'autres sont «prêts à repartir à zéro», en remettant en question l'existence même de toute croyance, même si la mythologie et le divin sont encore partout dans l'environnement humain, comme l'a magistralement montré Joseph Campbell dans *The Power of Myth* (Doubleday, 1988).

D'ailleurs, les recherches et les réflexions de pointe actuelles sur les origines et l'évolution du cosmos, de la matière et de la pensée, même dans les milieux religieux, démontrent que l'humanité vivrait présentement à une ère charnière et à une époque de transition qui mèneront à des rapprochements entre sujet et objet, matière et esprit, et suggéreront des explications novatrices d'un univers où la foi et l'espérance devant les progrès scientifiques et technologiques, la montée de la démocratie et des droits de la personne, les percées dans les domaines de l'éducation, de la santé, des loisirs, de la place des femmes, dans les transports, l'informatique, les communications, l'espace, la biotechnologie et les moyens de production continueront de côtoyer le nihilisme et le pessimisme devant le péril thermonucléaire, le désordre étatique et inter-étatique, le fossé inéquitable et explosif entre des pays avancés du Nord et des pays appauvris du Sud, les crises économiques, démographiques, énergétiques, morales, monétaires et commerciales, la détérioration de l'environnement, la persistance du sous-développement, de la corruption, du totalitarisme et de l'autoritarisme, de nombreux conflits et guerres civiles, la montée du chômage, de la violence, de la drogue, du sida, des tensions interethniques, religieuses ou raciales.

Ces recherches, qui regroupent des disciplines très diverses, depuis la philosophie jusqu'à l'astronomie, en passant par la physique, les sciences médicales et sociales, prévoient que de nouvelles formes de réconciliation émergeront de ce qui apparaît aujourd'hui comme étant irréconciliable, car les perceptions du monde actuel sont trop opposées et troublées et celles de cet univers en gestation sont encore trop limitées. Ce monde, que «seul un miracle pourrait sauver» selon Jung, entrerait, d'après ces recherches, dans un univers d'incertitudes et de mutations, mais d'où émergerait une nouvelle conscience universelle qui transformera les mentalités individuelles, sociétales et nationales.

Dans une telle optique, la crise canadienne, comme tant d'autres crises à l'échelle mondiale, reposerait pour une bonne part sur des visions et des passions spontanées impliquant amour et haine, sur des conceptions et des appréhensions normalement incomplètes et intéressées qui confondent universalité et uniformité, ainsi que sur des analyses limitées dans le temps et dans l'espace. En posant de cette façon les problèmes canadiens et bien d'autres problèmes mondiaux, on maximalise spontanément et principalement des concepts axés sur la puissance traditionnelle, les structures, les pouvoirs, le droit, la souveraineté de l'État de même que des idées liées au niveau de vie et au nationalisme fondé surtout sur la langue, la culture ou la religion, phénomènes qui sont tous déterminants et toujours mis en avant dans le contexte contemporain et qu'on ne saurait écarter naïvement, sous peine de faire de l'angélisme dans un univers où les intérêts et la raison d'État l'emportent encore trop souvent sur des principes d'équité, de liberté, d'identité, de solidarité, de paix et de coopération.

Cependant, on minimise en même temps, souvent sans le vouloir, l'évolution de la nature et des fonctions de l'État, de la démocratie, de la justice ainsi que la place grandissante occupée par de vastes et puissants réseaux publics et privés d'échanges et de communications qui commencent déjà à modifier les manières d'agir et de penser, de même que la montée progressive de principes liés à la qualité de vie, au rôle capital du savoir dans la liberté individuelle et collective, dans l'indépendance réelle plutôt que formelle que l'on confond avec le principe anachronique de la souveraineté absolue, alors qu'il faudrait porter plus d'attention à ceux de *l'endogénéité* et de *la compétence dévolutive* qui vont caractériser la nature et le comportement des individus et des institutions, à caractère étatique, dans le monde de demain.

L'endogénéité (endos: dedans; genos: origine) situe la personne humaine dans sa véritable dynamique contemporaine et future en la plaçant, physiquement et simultanément, non seulement face à elle-même et à la société immédiate à laquelle elle appartient, mais aussi face à un univers en mutation. L'endogénéité tient compte autant des appartenances verticales, surtout culturelles et territoriales, que des filiations horizontales qui rejoignent les idées, les professions, les goûts, les options les plus diverses, partout sur la planète.

La compétence dévolutive (entendue dans le sens de transmissible et d'interchangeable) est fondée sur la maîtrise réelle et effective, plutôt que formelle et normative, des pouvoirs et des moyens susceptibles d'assurer pratiquement — en s'adaptant dans le temps et en s'interchangeant dans l'espace — le développement, la démocratie, le respect de la liberté, de l'identité et de la sécurité en visant pratiquement à l'épanouissement de l'ensemble de la société et non d'un certain nombre de citoyens à l'intérieur de la société.

Tous les êtres humains, quelle que soit leur origine, leurs caractéristiques et leurs convictions, connaîtront de plus en plus la montée de ces deux concepts, notamment celui de l'endogénéité. En effet, tous les êtres humains vivent cette tridimensionnalité individuelle, sociétale et universelle de façon dynamique ou passive. En même temps, l'analyse approfondie des individus et des sociétés, tout comme celle de nombreuses réalités dans différents domaines et à différents paliers, dépendra de plus en plus de l'endogénéité et de la manière positive et dynamique de l'envisager et de l'utiliser, car elle permet de saisir les interactions croissantes entre les différents domaines ainsi que les paliers d'action et de réflexion.

La crise canadienne mérite aussi d'être vue, appréhendée et analysée sous cet éclairage. Tels sont le sens et la portée de cet essai dont la démarche est axée sur les trois principales étapes du cheminement de la connaissance; premièrement, la perception qui peut être naturelle ou expérimentale, objective ou subjective; deuxièmement, l'appréhension à partir d'études générales ou d'observations particulières; troisièmement, l'analyse rationnelle qui établit des relations de cause à effet, définit des objectifs à court, moyen et long terme, formule des scénarios d'action et de réflexion ainsi que des voies alternatives, en fonction des circonstances variables et des obstacles éventuels, dans un monde fort complexe.

Dans un premier temps, on abordera donc les différentes visions d'une crise fort controversée et marquée par des «passions d'être» et des «désirs d'avoir». Dans un deuxième chapitre, on étudiera les origines et les étapes de l'évolution constitutionnelle du Canada en tentant d'appréhender, à la lumière du concept de l'endogénéité, les dimensions du nationalisme canadien et du nationalisme québécois dans un contexte interne et à l'échelle internationale. Le dernier volet cherchera à concevoir un avenir qu'il est certes impossible de prédire avec exactitude, mais dont on peut apprécier les tendances principales et les changements inexorables dans un univers en mutation où la compétence dévolutive occupera une place et un rôle de plus en plus importants.

\* \* \*

Les enjeux du monde contemporain sont trop fondamentaux et trop cruciaux pour que les débats à leur sujet, au Québec, au Canada et partout ailleurs dans le monde, soient conçus et perçus tout simplement comme des luttes pour l'accaparement du pouvoir à n'importe quel prix, dans une ambiance ambiguë et tendue. Cette ambiance marginaliserait, d'un côté, les idées des hommes et des femmes réfléchis et expérimentés, d'experts et d'observateurs informés et concernés ainsi que de l'ensemble des citoyens sensés et préoccupés. D'un autre côté, elle valoriserait, pêle-mêle et avec beaucoup d'éclat, la rhétorique simpliste et enflammée, les assertions erronées et provocatrices, les projets futiles et désincarnés proclamés par des fabulateurs de rêves et de cauchemars; par des propagateurs d'épouvantails et de haine; par des inquisiteurs intolérants et sectaires; par des personnalités dépassées et bien pensantes aux idées arrêtées et condescendantes; par des néophytes incompétents et endoctrinés de même que par des gens habitués à s'émouvoir dans toutes les directions, mais courant inévitablement au devant de tout projet ou de toute victoire qui servirait bien leurs passions, leurs désirs, leurs intérêts particuliers, en prétextant qu'ils parlent au nom de la collectivité et qu'ils servent un bien commun qui prend, dans la réalité quotidienne, des couleurs et des saveurs bien personnelles. Pour influencer le public, ces derniers entretiennent des malentendus et des confusions dans les esprits pour mieux atteindre des fins particulières; mais ils ne songent jamais à la validité des maximes de Confucius selon lesquelles, d'une part, « la personne sage suit sa conscience et prend ses propres décisions, alors que les autres suivent l'opinion publique» et, d'autre part, «l'on ne peut définir sa vie en poursuivant les aspirations des autres mais en suivant les siennes».

Ce qui devient globalement plus commun aujourd'hui, c'est le fait que l'international saisit le national, les sociétés et les individus de façon immédiate et tangible et non plus simplement sur le plan intellectuel, scientifique et spirituel, comme l'avaient déjà suggéré les penseurs présocratiques de même que les gens de science et les prophètes qui les ont suivis. Les êtres humains ont toujours des préoccupations universelles à caractère théologique, philosophique, scientifique, politique et surtout économique; mais — et c'est ce qui est nouveau — ils ont aussi des préoccupations universelles de nature quasi personnelle et vitale, à commencer par la protection de la couche d'ozone et de la qualité de l'air qu'ils respirent jusqu'à une curiosité spontanée à mieux connaître les confins des espaces sous-marins et extraterrestres, en passant par leur souci de préserver le patrimoine commun de l'humanité et une planète dont ils ne sont pas les propriétaires mais les usufruitiers et les gérants, au regard des droits des générations futures.

On commence à reconnaître que l'univers s'impose physiquement dans la vie quotidienne et que cet univers possède, non seulement des lois, mais aussi des droits qu'il faut apprendre à connaître et à respecter. Une nouvelle forme de prise de conscience universelle commence à se développer devant un cosmos que l'on veut mieux explorer et devant des cataclysmes universels qu'il faut éviter. Un nouveau type de rapport quasi physique est en train de s'instaurer entre l'être humain et cet univers en mutation et un monde où l'on devient de plus en plus interdépendant.

Cependant, ceci n'implique nullement que le fait international devienne plus important en soi que le fait local ou national. Il signifie plutôt que la nature même des faits locaux et nationaux a une composante universelle et que le devenir des réalités locales et nationales sera de plus en plus influencé par des phénomènes internationaux. Il devient impérieux de mieux maîtriser ces phénomènes mondiaux si l'on veut, demain, conserver simplement ce que l'on a aujourd'hui: d'où l'importance de leaderships qui sauraient vraiment rallier les gens en la matière, ainsi que la nécessité de mettre en place des systèmes d'éducation, de perfectionnement et d'informations de qualité. Il faudrait aussi des actions concertées entre les institutions publiques et privées qui garderaient un sens de la perspective et de l'équilibre dans l'appréhension des réalités locales, nationales et internationales. Chacune de ces trois réalités est également déterminante dans le développement des sociétés contemporaines. On ne peut en exclure l'une ou l'autre, d'autant plus qu'elles sont maintenant de plus en plus interreliées et qu'elles transforment les notions d'indépendance et de souveraineté absolue qui ne sont plus synonymes du tout. La recherche d'une indépendance étatique ne réside plus dans une poursuite de la souveraineté absolue, entendue au sens traditionnel; elle le sera encore moins demain.

De façon très pratique, la majorité des cinq milliards et demi d'habitants, des 3 000 groupes linguistiques et surtout des 200 États existant en cette fin de siècle reconnaissent qu'ils ne peuvent plus résoudre seuls de nombreux problèmes sur leur propre sol sans une coopération ou une forme d'échange avec d'autres États et avec plusieurs des quelque 500 organisations intergouvernementales et des 13 000 organismes internationaux privés dont le nombre s'accroît sans cesse. C'est le cas du Canada et du Québec dont le développement dépend directement de phénomènes internationaux, à commencer par le financement de ses projets hydro-électriques et de bien d'autres programmes, par sa capacité d'importer et d'exporter des biens et des services, de créer des emplois, de s'ouvrir à des perspectives internationales, non seulement par une télévision omniprésente sur la planète et dans l'espace, mais aussi par des actions et des coopérations à l'étranger.

Le fait international est entré dans le quotidien des citoyens. Leur vie est de plus en plus influencée par des décisions prises par des institutions internationales qu'ils ne connaissent pas ou très peu, comme le FMI (Fonds monétaire international), le GATT (acronyme anglais pour l'Accord général sur les tarifs douaniers et le commerce), la Banque mondiale et l'OCDE (Organisation de coopération et de développement économique). En revanche, ce qui se passe chez eux a maintenant des connotations internationales et fait l'objet de réactions et d'interactions internationales.

Ainsi, si les rapports entre les autochtones, les francophones, les anglophones et d'autres groupes ethniques n'ont jamais été «au beau fixe» depuis l'installation en sol canadien des premières colonies européennes, et bien qu'ils aient suscité de nombreux débats et études, ces problèmes ont rarement fait la manchette internationale, jusqu'à une époque récente. Certes, de nombreux observateurs étrangers — on peut penser à Tocqueville et à Siegfried — avaient très bien saisi, il y a déjà longtemps, les fondements de tensions éventuelles, mais celles-ci n'ont pas été un sujet de préoccupation majeure à l'étranger.

Les milieux internationaux ont commencé toutefois à s'intéresser directement à la crise interne du Canada, depuis le «Vive le Québec libre» lancé par le général de Gaulle, au cours de sa visite officielle, en juillet 1967, à l'occasion de l'Exposition universelle de Montréal et du Centenaire de la Confédération canadienne. D'autres l'ont fait lors de la victoire du Parti québécois de René Lévesque, en 1976, et encore lors de la tenue au Québec, en 1980, du référendum sur la souveraineté-association et de son refus par 60 pour 100 des Québécois, ainsi que, comme on l'a dit précédemment, lors de la crise amérindienne, en 1990.

En examinant, dans un contexte mondial, les tensions que connaît un État aussi riche et démocratique que le Canada, plusieurs de ces observateurs croient qu'il est légitime de se demander s'ils ne sont pas en présence d'une authentique saga surréaliste avec une multitude de pièges posés par des citoyens privilégiés, ou d'une véritable énigme dans un univers politico-culturel dont plusieurs volets leur semblent mystérieux.

André Breton n'a-t-il pas laissé entendre que «le surréalisme est une aventure de l'esprit et un voyage au pays des pièges», alors qu'Einstein, quant à lui, soulignait que «le plus beau sentiment au monde, c'est le mystère; celui qui n'a jamais connu cette émotion, ses yeux sont fermés»? En effet, toute recherche de compréhension de la crise canadienne qui ne fait pas appel à «l'infiniment petit» — car un nombre incalculable d'intérêts particuliers sont en jeu — et à «l'infiniment grand» — car les enjeux dépassent le cadre du Québec et du Canada — risque de déboucher sur le mystère.

Évidemment, il ne s'agit pas du même type de mystère que celui mentionné par Einstein, qui faisait sans doute allusion au mur de Planck, en physique quantique, ni de celui auquel se référait Teilhard de Chardin dans ses réflexions scientifiques et théologiques. Il s'agit plutôt, pour eux, d'une énigme fondée sur des réalités culturelles complexes ainsi que sur des visions et des aspirations politiques qui opposent un grand nombre d'anglophones et de francophones. Cependant, ils oublient trop souvent l'action d'autres groupes, notamment des autochtones et de ceux que l'on appelle, fort curieusement et erronément la plupart du temps, des «allophones».

Ces groupes occupent en fait une place croissante dans le débat canado-québécois, notamment les Premières nations qui, avec des appuis canadiens et internationaux, risquent de brouiller le dessein indépendantiste québécois, et surtout d'émasculer sa mise en œuvre après un référendum qui pourrait être favorable à une forme de souveraineté du Québec. Les Premières nations sont devenues le talon d'Achille des souverainistes québécois et de tous ceux qui souhaitent continuer le développement de grands projets hydro-électriques dans les régions nordiques du Québec.

La situation qui prévaut au Canada et au Québec serait-elle effectivement si «distincte» qu'elle échapperait aux courants profonds qui agitent les pays industrialisés, ou correspondrait-elle à des phénomènes qui préoccupent l'ensemble des êtres, des sociétés et de l'humanité tout entière, à savoir une recherche de dignité, d'identité, de sécurité, de prospérité et de liberté? La seconde hypothèse est sans doute la plus plausible.

Ainsi, au-delà des conceptions diverses sur ses causes et des manières de l'aborder et de la résoudre, la problématique canado-québécoise n'est pas fondamentalement liée, comme on le croit en trop de milieux, à la reconnaissance du caractère distinct de la société québécoise, mais bien à une *redéfinition* et à un *réaménagement* de son organisation sociétale en vue d'assurer non seulement sa survie culturelle, mais surtout son développement politico-économique dans un univers qui connaît de profondes mutations.

Dans ce contexte, quel que soit le côté où l'on examine cette crise, on se rend compte que la structure constitutionnelle du Canada et du Québec de 1867 doit être nécessairement redéfinie et réaménagée. Le défi est donc d'élaborer et de mettre en œuvre une restructuration originale dans le respect de la volonté et du processus démocratiques, sans perdre de vue les autres problèmes nationaux et internationaux.

Ce défi paraît insurmontable, selon les uns, indésirable, selon d'autres. En effet, on est devenu tellement passionné, en certains milieux, qu'il est impossible de prendre le recul nécessaire pour démontrer que les Constitutions et les États sont faits pour les êtres humains et non l'inverse. Presque tous les États ont changé ou ont amendé leur Constitution afin de l'adapter à des réalités nouvelles. Si ce fut le cas dans plusieurs domaines au Canada, alors pourquoi a-t-il été si difficile d'agir de la même manière pour répondre aux aspirations légitimes des Québécois et des Premières nations, ainsi qu'aux sentiments d'aliénation des provinces de l'Ouest?

En effet, malgré des initiatives répétées et des conférences organisées dans le but de trouver des formules

d'accommodement, les négociations constitutionnelles entre
le Québec, le reste du Canada, ainsi qu'avec les autochtones,
se terminèrent le plus souvent sur des constats d'échec car,
chacun, à sa manière, veut davantage de pouvoirs. On aurait
pu croire que, dans un pays aussi avancé, il serait simple de
trouver des terrains d'entente. Or, c'est mal évaluer et peu
comprendre les dilemmes que vivent et qui opposent les
Canadiens anglophones, les Québécois francophones et les
autochtones. Chaque groupe a développé des «passions
d'être» différentes qu'il veut englobantes au plan national, et
des «désirs d'avoir» opposés mais orientés vers une acceptation et une action internationales, à caractère distinct. Ces
deux phénomènes, bien qu'ils simplifient les attitudes et
réduisent les enjeux dans un univers fort complexe, tradui-
sent fidèlement et expriment succinctement le sens profond
de la crise canadienne.

Dans de telles circonstances, s'il devient difficile d'en
arriver à des accords au plan intergouvernemental, il est de
plus en plus facile, à la base, d'interpréter les mêmes événements de façon opposée. De telles interprétations contraires
sont surtout le fait de *constructivistes* qui voient le monde
comme étant déjà intellectuellement «construit» et par conséquent «arrêté». Ils se comportent comme si leurs visions du
monde étaient déjà des réalités et, par conséquent, s'efforcent
de geler les débats et de les monopoliser à leur manière et à
leur avantage, en repoussant comme irréaliste ou invalide le
point de vue de tous ceux et celles qui n'ont pas leurs
sentiments.

Cette situation n'est pas particulière au Canada ou au
Québec. Les constructivistes se retrouvent partout dans le
monde; ils transcendent les pays, les générations, les professions, les idéologies, les religions, les partis, les classes, les
groupes ethniques et linguistiques. Ce qui les distingue, c'est
une disposition d'esprit qui les empêche de voir loin; c'est une
conception pusillanime des êtres et des sociétés, des idées et
des réalités, de l'humanité et de l'universalité. C'est une assurance d'avoir raison et une attitude rigide et inattentive à

l'endroit de ceux qui ne partagent pas leurs convictions. Celles-ci sont fondées davantage sur des émotions et des perceptions réduites du monde que sur des analyses rationnelles d'un univers en mutation. Leurs visions ont tendance à «bloquer le temps» et à «arrêter le monde», alors que les univers, temporel et spatial, culturel et intellectuel, politique et économique, social et démographique sont fondamentalement évolutifs.

Cette tendance à bloquer le temps et à arrêter le monde amène spontanément les «constructivistes» à écarter des approches novatrices et originales indispensables dans un univers en mutation. Or, seules de telles approches peuvent élargir, approfondir et élever les débats qui doivent obligatoirement tenir compte d'horizons internationaux et faire réfléchir à des concepts et à des comportements porteurs d'avenir qui transcenderont toute solution constitutionnelle dans un monde de plus en plus complexe.

Ainsi, depuis 1960, l'univers canado-québécois, comme l'ensemble du reste du monde, a évolué de façon paradoxale. Dans le sillage des réformes nombreuses, à Ottawa, et au Québec où l'on clamait «c'est le temps que ça change», et à une époque de mutations rapides dans le monde, on ne comprenait pas pourquoi on n'arrivait pas à un nouveau partage des compétences entre les gouvernements central et celui du Québec et, plus tard, avec les autochtones.

Au Québec, on souhaitait des réformes constitutionnelles correspondant aux mutations provoquées par la Révolution tranquille. Celle-ci avait suivi la victoire du Parti libéral de Jean Lesage, en 1960, et de son «équipe du tonnerre» où l'on retrouvait René Lévesque, Paul Gérin-Lajoie, Pierre Laporte, Eric Kierans et Georges-Émile Lapalme. Ce dernier avait été l'un des principaux inspirateurs de ce renouveau politique, économique et culturel, avant l'arrivée de Jean Lesage qui était auparavant ministre, à Ottawa, dans le gouvernement libéral du Premier ministre Louis St-Laurent, jusqu'à la défaite de ce dernier par le Parti progressiste-conservateur de John Diefenbaker, en 1957.

Malgré le retrait de l'équipe de Jean Lesage de la direction du Québec, après la défaite du Parti libéral, en 1966, le processus d'affirmation québécoise ne fut pas ralenti mais poursuivi par les gouvernements de l'Union nationale de Daniel Johnson. Ce dernier lança le concept «égalité ou indépendance» et accueillit le général de Gaulle en 1967. Il décéda prématurément, en 1968, et fut remplacé par son collègue unioniste, Jean-Jacques Bertrand.

Celui-ci réussit à s'entendre avec Ottawa pour permettre au Québec d'avoir un rôle direct et officiel dans la Francophonie. Bien que le Canada adhéra seul à la Convention de Niamey de 1970, il fut décidé d'accorder le statut de «gouvernement participant» au Québec et au Nouveau-Brunswick (pour représenter les Acadiens) dans le cadre de la nouvelle Agence de coopération culturelle et technique, créée à Niamey et dont le siège est à Paris. Ce statut fut progressivement étendu à d'autres organismes, notamment au Sommet des chefs d'État de la Francophonie, dont le premier eut lieu à Versailles, en février 1986, réunissant plus d'une quarantaine de pays.

Jean-Jacques Bertrand fut défait en 1970 par les Libéraux de Robert Bourassa qui accélérèrent les mouvements de transformations au Québec pendant les six années suivantes jusqu'à la victoire éclatante du Parti québécois de René Lévesque, le 6 novembe 1976.

\* \* \*

D'un autre côté, on s'attendait à un renouveau constitutionnel découlant de l'attitude suscitée, à Ottawa, à la suite de la défaite des Progressistes-Conservateurs de John Diefenbaker, en 1963, par les Libéraux, dirigés par le récipiendaire du prix Nobel de la paix, Lester B. Pearson, surtout après l'arrivée, en 1965, des «trois colombes du Québec», Pierre Elliott Trudeau, Jean Marchand et Gérard Pelletier, qui établirent le «French Power» au palier fédéral.

Dans la métropole montréalaise, les choses avaient déjà aussi commencé à changer. Quelques années auparavant, en 1960, Jean Drapeau, qui avait déjà été maire de 1954 à 1957, fonda le Parti civique et fut élu de nouveau à la mairie de Montréal où il régna jusqu'en 1986. Le Premier ministre Mulroney le nomma ensuite ambassadeur du Canada à l'Unesco pendant quatre ans. Jean Drapeau marqua la vie politique du Québec pendant près d'un demi-siècle. S'il fut actif en politique municipale, il avait été aussi, pendant la Seconde Guerre mondiale, candidat du Bloc populaire dirigé par Maxime Raymond.

Ce parti, nationaliste et réformiste, se situait dans la lignée de l'Action Libérale Nationale de Paul Gouin qui avait fait une alliance, en 1935, avec les Conservateurs de Maurice Duplessis. Ce dernier éclipsa l'Action Libérale Nationale en fondant, l'année suivante, l'Union nationale et en enlevant le pouvoir au régime dépassé d'Alexandre Taschereau, installé à Québec depuis 1916. Maurice Duplessis garda le pouvoir jusqu'au début de la Seconde Guerre mondiale lorsque les Libéraux provinciaux d'Adélard Godbout, avec l'appui direct de leurs partenaires à Ottawa, remportèrent les élections. Duplessis évita ainsi les affres du second conflit mondial, notamment celles de la conscription, acceptée d'emblée par le Canada anglais lors du fameux plébiscite de 1942, mais refusée à près de 70 pour 100 au Québec.

Le Bloc populaire comptait sur l'appui du fondateur du quotidien *Le Devoir*, Henri Bourassa et, déjà, sur l'action engagée de son futur rédacteur en chef, André Laurendeau, qui fut élu député sous la bannière du Bloc populaire. Ce parti exerça une grande influence, non seulement pendant son existence formelle, de 1942 à 1948, mais aussi par le truchement de ses anciens membres, par la suite.

En effet, au cours des quinze années qui suivirent le second conflit mondial, de nombreux adhérents au Bloc Populaire, des syndicalistes, des intellectuels anglophones et francophones dont plusieurs se trouvaient à l'École des Sciences Sociales, fondée à l'Université Laval par le Révérend Père Georges-Henri Lévesque, des artistes regroupés autour du *Manifeste du Refus Global* de 1948, des associations de jeunes, de femmes et d'étudiants, des mouvements coopératifs souvent animés par des religieux avant-gardistes, *Le Devoir*, *Cité Libre*, revue fondée par Pierre Elliott Trudeau et Gérard Pelletier, osèrent remettre en cause le régime traditionaliste et nationaliste de l'Union nationale, dominé pendant presque deux décennies par le Premier ministre Maurice Duplessis jusqu'à son décès, à Schefferville, le 7 septembre 1959, lorsqu'il visitait le Nouveau-Québec.

Il fut remplacé par Paul Sauvé qui décéda, le 2 janvier 1960, avant de pouvoir veiller lui-même aux changements rapides qu'il avait suscités par son célèbre «désormais». Son successeur, unioniste lui aussi, Antonio Barrette, l'ouvrier devenu gentilhomme et futur ambassadeur en Grèce, fut emporté par la marée libérale de l'été 1960 qui marqua le début de la période de la Révolution tranquille.

Cette révolution tranquille, caractérisée ainsi parce qu'elle entraîna des cassures profondes de façon pacifique, devait beaucoup aux germes semés durant les années quarante et cinquante par tous ceux et celles mentionnés plus haut. Leurs actions et leurs oppositions au régime de Maurice Duplessis furent fondamentales, même si leurs démarches ne parvinrent pas à secouer le champion de l'autonomie provinciale et le célibataire endurci qu'était Maurice Duplessis, dont la vie fut consacrée entièrement à sa province.

Elles dérangèrent peu les politiques de l'orateur habile qui savait soulever les foules de «vrais Canayens», du politicien rusé, de l'intervenant obligé, du conservateur inné et du nationaliste affirmé. Elles ne modifièrent pas les pratiques contestées de sa machine électorale éprouvée et de son cercle de *patroneux* qui savaient distribuer les emplois publics, les bouts de route asphaltés et les bourses à ceux qui avaient voté «bleu» et du bon bord, dans une province où n'existait pas de Commission indépendante de la Fonction publique. Elles affectèrent peu les sentiments de l'admirateur des capitalistes et des investisseurs américains. Elles touchèrent peu l'adversaire des syndicalistes, notamment lors des grèves d'Asbestos, en 1949, et à Murdochville, en 1955, des communistes et des Témoins de Jéhovah, qui conçut en particulier pour eux la «loi du cadenas». Cependant, elles soulevèrent l'ire et mirent en action de combat, contre tous ces activistes et ces poètes, la longue mémoire de cet avocat québécois qui veillait au développement hydro-électrique, minier, industriel et forestier avec l'appui des financiers anglophones de la rue St. James, à Montréal, tout en soignant son public agricole, par le truchement du ministère de l'Agriculture et de la Colonisation et en étendant l'électrification rurale. Elles ne détournèrent pas de sa voie le Chef qui s'enorgueillissait de mettre à leur place les ouvriers, les étudiants, les intellectuels, les facultés universitaires contestataires, et même certains de ses ministres («Toé, Ti-toine, tai-toé»), et ricanait de pouvoir faire «manger les évêques dans sa main», tout en se réjouissant de son image populiste de protecteur de la langue, de la race et de la religion, de la veuve et de l'orphelin ainsi que de défenseur indéfectible des droits du Québec, face au pouvoir tentaculaire d'Ottawa. Toute cette proche réalité historique semble pourtant si loin du Québec contemporain.

Par la suite, notamment au cours des années soixante, en plus de phénomènes à caractère local, provincial et national, les visions et les aspirations de nombreux Québécois furent très influencées par des événements internationaux, notamment par la décolonisation dans le tiers monde et la guerre froide. Cependant, elles brouillèrent une appréhension des réalités canado-québécoises et surtout des forces en présence qui n'étaient pas au même diapason constitutionnel. La création du mouvement Souveraineté-Association par René Lévesque, en 1967, et le début du règne, à Ottawa, de Pierre Elliott Trudeau, l'année suivante, allaient cristalliser cette confrontation pendant plus d'une quinzaine d'années.

La crise d'octobre de 1970 et la conférence de Victoria de juin 1971 mirent rapidement à l'épreuve le nouveau régime de Robert Bourassa, élu en avril 1970. Le plus jeune Premier ministre de l'histoire du Québec fut d'abord ébranlé par les tragiques événements provoqués par le Front de Libération du Québec. Le FLQ avait kidnappé l'attaché commercial britannique à Montréal, James Richard Cross, qui fut par la suite relâché, ainsi que le ministre du Travail du Québec, Pierre Laporte, qui fut assassiné. Ces événements avaient profondément bouleversé le Québec. Ils avaient provoqué l'application de la «Loi des mesures de guerre» par le gouvernement de Pierre Elliott Trudeau, la suspension des libertés civiles, l'envoi de l'armée canadienne au Québec ainsi que l'arrestation de quatre cent cinquante nationalistes québécois et l'emprisonnement de certains d'entre eux pendant quelques mois.

L'échec de la conférence constitutionnelle de Victoria, l'année suivante, démontra que la crise entre le Québec et le reste du Canada était aussi aiguë que l'avait diagnostiqué le rapport de la Commission sur le bilinguisme et le biculturalisme, en 1967. Les visions et les aspirations étaient très divergentes. De toute évidence, cette opposition dépassait les désaccords entre les gouvernements Trudeau et Bourassa. Les tensions constitutionnelles allaient perdurer car les causes étaient profondes.

À Victoria, plusieurs dossiers chauds étaient à l'ordre du jour, notamment celui des programmes sociaux, du processus d'amendement constitutionnel, d'une Charte des droits et libertés, ainsi qu'un projet visant à faire reconnaître le droit des provinces au prolongement externe de leurs responsabilités internes, surtout en matière administrative. Les péripéties entourant ces quelques articles (37 à 41) du projet initial de la Charte de Victoria n'ont pas fait l'objet de beaucoup de commentaires à l'extérieur de l'enceinte de la conférence constitutionnelle car, faute d'accord, le Premier ministre Trudeau et certains Premiers ministres provinciaux décidèrent de les retirer complètement. Le communiqué final n'en faisant pas mention, peu d'observateurs ont pu les analyser en profondeur.

On me rappelle parfois qu'en rentrant de la conférence de Victoria, où cette fin de non-recevoir au projet de reconnaissance officielle de pratiques internationales déjà existantes des provinces, notamment du Québec, m'avait fort déçu, j'avais dit à mes étudiants que s'ils cherchaient une carrière lucrative à temps complet et à vie, ils devraient songer à devenir constitutionnalistes et penser à rédiger régulièrement des mises à jour au volume sur *Le Système politique du Canada* (Presses de l'Université d'Ottawa, 1968) que j'avais publié, quelques années auparavant, avec la collaboration de collègues canadiens et québécois...

\* \* \*

Plus de deux décennies ont passé alors que ces entretiens de Victoria peuvent paraître si proches pour certains. Cependant, on en est bien loin! En effet, le monde a beaucoup changé, à la fois globalement et à l'échelon des deux cents États existant aujourd'hui, dont cent soixante-quinze sont représentés aux Nations unies depuis l'entrée, en septembre 1991, des trois États baltes, des deux Corées, de la Micronésie et des îles Marshall, deux archipels du Pacifique jusqu'alors sous tutelle américaine et, en mars 1992, avec l'entrée de plusieurs républiques de la défunte URSS ainsi que de la très ancienne mais minuscule République de San Marino. Le Canada a changé, le Québec a changé; individuellement, les gens ont changé. Or, pourquoi, avec tous ces changements, a-t-il été si difficile d'en arriver à des modifications dans le partage des pouvoirs constitutionnels au Canada?

En relisant l'introduction et la conclusion de cet ouvrage sur les institutions politiques fédérales et québécoises, on peut constater que le Canada a toujours, en cette dernière décennie du siècle, les caractéristiques constitutionnelles décrites vingt-cinq ans plus tôt: un régime fédéral, monarchique, parlementaire et démocratique, ce qui ne pose pas de problème particulier. Mais au chapitre de la répartition des pouvoirs, la problématique est toujours la même. Les questions soulevées à ce sujet sont toujours d'actualité. Les derniers paragraphes de l'ouvrage soulignaient:

> La plupart des Canadiens anglais croient que les modifications constitutionnelles viendront graduellement et que les précédents politiques et juridiques transformeront ainsi le système politique

du pays. Selon plusieurs d'entre eux, de simples réformes à l'Acte de l'Amérique du Nord britannique sont suffisantes. Certains considèrent même que les discussions constitutionnelles détournent le pays de nombreux problèmes économiques et sociaux qui ont une importance plus grande à leurs yeux.

La majorité des Canadiens français, de leur côté, sont favorables soit à une réforme en profondeur de l'AANB, soit à la rédaction d'une nouvelle constitution qui reconnaîtrait un des régimes décrits plus haut: fédéralisme plus souple, statut particulier, États associés ou Québec souverain dans une Union canadienne. Il ne fait plus de doute que le mouvement en faveur de l'autodétermination de la nation canadienne-française tel que défini par les États généraux de 1967 représente un défi difficile non seulement pour le Canada, mais pour le Québec lui-même.

Pour quelle raison ce texte — après un quart de siècle et malgré tous les changements économiques, politiques, sociaux, technologiques — est-il si actuel, à la condition de substituer le terme Québécois à celui de Canadien français? Question piégée ou mystérieuse? Non! S'agirait-il vraiment d'une saga surréaliste? Pas tout à fait. Car une telle situation paradoxale n'est pas sans fondements, ni sans causes.

Certes, on a cherché à les découvrir et à les identifier lors de nombreuses commissions d'enquête dont le Canada n'a pas l'exclusivité, mais s'est fait une spécialité! Les gouvernements du Canada et du Québec savent bien comment classifier les problèmes: les plus faciles, ils les gardent pour eux; les plus difficiles, ils les soumettent à une commission d'enquête. Il ne se passe plus un mois, parfois moins, sans que ne paraisse un rapport sous lequel le Canada risque de crouler littéralement. Les Canadiens sont sans doute un des peuples les plus analysés du monde par des commissions d'enquête. Selon certains, l'objectif serait d'étudier le pays à mort... Pour se faire une idée du rôle de ces commissions d'enquête, on pourra consulter avec intérêt le récent ouvrage de André G. Gagnon et Daniel Latouche, *Allain, Bélanger, Campeau et les autres, les Québécois s'interrogent sur leur avenir* (Québec Amérique, 1991).

Plusieurs de ces commissions eurent une influence majeure dans l'évolution du Canada et du Québec: notamment la commission Rowell-Sirois sur les relations entre le Dominion et les provinces (1937-1940), la commission Massey-Lévesque sur l'avancement des arts, des lettres et des sciences (1949-1951), la commission Tremblay sur les problèmes constitutionnels (1953-1956), la commission Laurendeau-Dunton sur le bilinguisme et le biculturalisme (1963-1968), la commission Pépin-Robarts sur l'unité cana-dienne (1977-1979), la commission MacDonald sur l'Union économique et les perspectives de développement du Canada (1982-1985) et la commission Bélanger-Campeau sur l'avenir politique et constitutionnel du Québec (1990-1991). Il faut constater qu'au chapitre du partage des pouvoirs entre Ottawa et les provinces, on en est toujours au même point depuis des décennies, malgré toutes les recommandations de ces commissions. Que de continuité dans le changement!

Cependant, en y regardant de plus près, on voit qu'en dépit de cette continuité dans ce domaine, il y a eu plusieurs changements constitutionnels *de facto* et *de jure* qui font du Canada l'une des fédérations les plus décentralisées au monde, ce qui a fait dire, en 1991, à un humoriste, J.C. Lauzon, que le Québec s'était peut-être déjà séparé et qu'on ne le savait pas... Les transferts fiscaux, l'usage du droit de retrait des programmes conjoints, les accords en matière d'immigration, la reprise par le Québec de plusieurs pro-grammes sociaux, l'usage de la clause dérogatoire «nonobs-tant» permettant à une province de se soustraire, par pério-des de cinq ans, à une disposition de la Charte canadienne des droits et libertés ainsi que les changements dans le système de péréquation ont créé des situations différentes de celles qui existaient il y a quelques décennies. Le processus et la vie politiques ont aussi beaucoup évolué. Enfin, l'adoption de la Charte canadienne des droits et libertés a modifié profondément la vie juridique du Canada tout entier.

D'ailleurs, il ne faut pas oublier que la crise constitution-nelle tient à des transformations dans les réalités socio-politiques et économiques de même qu'à l'évolution de la nature des compétences prévues par la Constitution, en 1867. À l'époque, les gouvernements provinciaux n'étaient rien d'autre que des administrations municipales. La croissance démographique, la montée exponentielle des responsabilités publiques, du nombre des fonctionnaires et de la classe politique ont entraîné une augmentation des budgets et des pouvoirs des provinces. Mais le fait le plus fondamental demeure que des pouvoirs conférés aux provinces, en 1867, comme l'éducation, la santé, les affaires sociales, les richesses naturelles n'étaient pas très importants, à l'époque. Aujourd'hui, ils sont devenus déterminants et ils accaparent une bonne partie des budgets publics. Plusieurs juridictions strictement provinciales qui n'avaient pas de répercussions externes en ont beaucoup maintenant.

De plus, au cours de la grande crise économique des années trente, de la Seconde Guerre mondiale et des années de fabuleuse croissance qui ont suivi, le gouvernement central avait eu de nombreuses raisons d'étendre ses compétences, en utilisant au maximum son «droit de dépenser» dans toutes sortes de domaines, même de compétence provinciale, pour financer le conflit, pour favoriser la défense et la sécurité, l'expansion économique et le bien-être social de tous les Canadiens. Ottawa veilla à la mise en œuvre de programmes nationaux comme les allocations familiales, l'assurance chômage, dans le but de donner le minimum vital à tous les citoyens, notamment à ceux et celles des provinces moins favorisées. Ceci entraîna une multiplication de programmes fédéraux et conjoints qui créèrent des chevauchements de juridictions trop nombreux. On en dénombre plus de 2 000 aujourd'hui.

Si, la plupart du temps, les contribuables qui profitaient de ces programmes étaient relativement satisfaits, ce ne fut pas le cas des nouveaux gestionnaires et des hommes politiques dans plusieurs provinces, notamment au Québec où les facteurs linguistiques et culturels devaient rapidement entrer aussi en ligne de compte. La lutte pour le contrôle des budgets et des programmes, ainsi que de la visibilité politique et sociale qui les accompagne, allait s'accélérer dans un premier temps et favoriser certaines redistributions au plan de la

gestion des budgets, mais sans clarifier le contrôle juridic-
tionnel exclusif.

Il faut aussi savoir que, globalement, la Constitution de
1867 divisait les pouvoirs en trois catégories: les compétences
fédérales, comme la défense, la monnaie et le commerce
international; les compétences provinciales, telles que mentionnées auparavant, et les compétences partagées, comme
l'agriculture et l'immigration. Contrairement à ce qu'on avait
fait aux États-Unis, la Constitution canadienne prévoit que
les pouvoirs résiduaires, c'est-à-dire ceux que l'on ne pouvait
prévoir à l'époque, comme l'aviation, les communications,
l'environnement, la recherche et le développement, seraient
accordés au gouvernement central. Tous ces domaines sont
devenus très importants et font l'objet de convoitises et de
conflits.

Si on peut s'attendre à des accords dans des domaines
comme les loisirs, le tourisme et les sports, les affaires municipales et l'habitation, les mines et les forêts, les affaires
sociales et les politiques familiales, la santé, de même que les
pêches et les transports, la justice et l'immigration, la fiscalité, les revenus et les institutions financières de même que les
affaires autochtones, il n'est pas du tout certain qu'Ottawa,
avec le concours des provinces anglaises, accepte de se retirer
complètement de champs de juridiction où le gouvernement
fédéral s'est progressivement ingéré et qui sont réclamés par
le Québec. Ce ne sont évidemment pas tous les enjeux,
comme on le verra plus loin, mais ce sont là certaines des
causes les plus importantes et les tendances les plus fondamentales des débats constitutionnels, du moins de ceux qui
ont trait à un nouveau partage des compétences entre Ottawa
et les provinces, en particulier avec le Québec qui souhaiterait
sortir d'une continuité de pratiques constitutionnelles qu'il ne
trouve plus acceptables. Les autochtones, de leur côté, sont
aussi insatisfaits de leur situation et veulent faire mieux définir et faire reconnaître leurs «droits inhérents».

Cependant, une telle continuité constitutionnelle *de jure,*
au chapitre de la répartition des pouvoirs, n'a pas sclérosé le

développement économique et social des Canadiens, ni brimé leurs droits individuels, mais elle a détourné trop de gens de trop de problèmes et elle a crispé trop de cœurs et de consciences, surtout au Québec où un très grand nombre de gens sont devenus ou désabusés ou exaspérés face aux imbroglios constitutionnels interminables et non concluants.

L'impasse constitutionnelle a fait naître de nouvelles «passions d'être», de nouveaux «désirs d'avoir». Ainsi, l'échec de l'Accord du lac Meech, en juin 1990, a cassé une corde du piano canadien qui exigera des mains fort habiles pour l'accorder. L'instrument sonne faux depuis cet échec — terriblement faux selon les uns, un tantinet faux selon les autres — mais il est clair qu'il n'est pas en mesure d'accueillir des virtuoses. C'est probablement pourquoi tant d'amateurs se croient capables d'interpréter une symphonie canadienne ou québécoise en ignorant systématiquement certains mouvements.

À écouter et à lire de nombreux Canadiens, le Québec aurait toutes les tares et le Canada n'aurait aucun tort, alors que pour certains Québécois, ce serait l'inverse. Cette vision manichéenne est évidemment davantage fondée sur des imaginaires et surtout sur des mythologies bien entretenues que sur des réalités, sur une forme d'intolérance psychologique plutôt que sur une étude reflétant un sens de la rigueur et de la vérité. La crise interne au Canada est alimentée par des analyses souvent erronées ainsi que par un manque flagrant d'information et de communication.

Ces optiques biaisées sont entretenues par des gens plus soucieux d'attiser les passions que de les apaiser. Gonflés comme des baudruches nationales, immunisés contre toute lucidité internationale, ils n'hésitent pas à présenter leur *a priori* comme la pierre philosophale ou le Saint-Graal des rapports Québec-Canada. N'hésitant pas à enfourcher Rossinante au besoin, ils inventent des moulins à vent et s'érigent en Inquisiteurs face à tous ceux qui ne partagent pas leur foi fédéraliste ou indépendantiste. Car il s'agit bien, selon eux, d'une question de foi. Il faut adhérer *a priori*.

Il n'y a plus de place pour d'autres options ou pour des analyses fondées sur la raison.

Or, le Canada et le Québec sont des réalités politiques et sociales qui deviennent de plus en plus complexes. À côté des autochtones et des peuples francophone et anglophone, issus de la France et du Royaume-Uni, à côté des nombreuses communautés ethniques solidement implantées et organisées, ainsi que des groupes de pression et d'intérêt des plus divers, depuis les amateurs de hockey sur glace, de lignes ouvertes ou de loteries, les tenants ou adversaires de l'avortement, de la peine de mort, d'un contrôle plus sévère des armes, de l'euthanasie, jusqu'aux chômeurs et aux assistés sociaux, à côté des représentants des milieux politiques, sociaux, culturels, environnementaux, économiques et financiers, des syndicats, des médias, des Églises, du monde agricole, des fonctionnaires, des éducateurs, des adeptes du Nouvel Âge, des consommateurs, des professions libérales, des groupes communautaires populaires, des gais, des sectes, des payeurs de taxes, des mouvements de jeunes, d'aînés, de femmes, d'étudiants, il y a un nombre croissant de groupes qui manifestent constamment leurs passions et leurs intérêts et réclament des pouvoirs publics qu'on leur porte plus d'attention et leur accorde plus de crédits, car «leurs problèmes» sont prioritaires!

Le Québec, même s'il compte 82 pour 100 de francophones, n'est pas une société complètement homogène et encore moins unanimiste. Cependant sa spécificité culturelle, linguistique et juridique (le droit civil), ses projets économiques collectifs — Hydro-Québec et plusieurs sociétés d'État, la Caisse de dépôt et de placement du Québec, la Société de développement industriel, le Régime des rentes, le Mouvement Desjardins, le milieu coopératif agricole, le Fonds de solidarité des travailleurs, la complicité économique existant entre le gouvernement et divers milieux d'affaires lui donnent une cohésion certaine et une «manière de faire» que ne partagent pas du tout ou avec moins de vigueur les provinces anglophones qui, de leur côté, sont beaucoup plus différentes entre elles qu'on a tendance à l'affirmer au Québec. Ainsi, plus de la moitié des habitants de villes comme Toronto et Vancouver sont originaires de pays qui ne sont ni francophones ni anglophones.

De leur côté, les Premières nations, réparties presque un peu partout à travers le Canada dont elles forment environ 3 pour 100 de la population totale, deviennent de plus en plus présentes dans les débats; elles exigent d'être, à côté du Canada anglais et du Québec, le troisième pilier sur lequel devrait s'édifier le Canada de demain. Une telle revendication ne convient pas du tout aux tenants du multiculturalisme, aux écologistes, aux féministes, aux mondialistes et à tous ceux qui tiennent mordicus au maintien des pouvoirs de négociation des Premiers ministres provinciaux et à l'égalité des dix provinces, sans oublier les maires des principales cités et villes où vivent maintenant la très grande majorité des Canadiens et Québécois. Il faut se rappeler que le Grand Montréal, avec un peu plus de trois millions d'habitants, compte déjà près de la moitié de la population totale du Québec.

En fait, le caractère original du Canada se métamorphose rapidement. Le Canada ne répond pas d'ailleurs aux clichés souvent trop flatteurs ou outranciers dont on l'afflige ou dont les Canadiens s'affligent eux-mêmes en répétant, soit que «tout le reste du monde les envie», soit que «le pays connaîtra sous peu le sort de l'Argentine». Le Canada serait-il cette contrée des arpents de neige, un colosse aux pieds d'argile, une mosaïque éclatée ou un pays de la tolérance, une nouvelle puissance internationale ou l'État modèle de demain? ou un peu tout cela à la fois? ou rien de tout cela?

À force d'entendre certains hommes politiques répéter candidement que l'on habite le plus beau pays du monde, on ne comprend pas, lorsqu'on vit à l'étranger, pourquoi le Canada et le Québec ne font pas plus souvent la manchette dans les médias. En revanche, dans les milieux diplomatiques, économiques, politiques et universitaires, le Canada et le Québec soulèvent de plus en plus d'attention et d'intérêt.

Mais, lorsqu'on revient au Canada, on est tout de suite saisi par une problématique nationale étreignante dont on parle partout, comme si c'était le seul problème au monde! Après avoir entendu si peu parler de «ce problème», on se retrouve dans des milieux où il devient difficile de discuter d'autre chose, comme si tous avaient une épingle dans l'œil qu'il fallait enlever impérativement, ou que cette crise était beaucoup plus grave que toutes celles qui existent ailleurs dans le monde. À l'inverse, trop de gens à l'étranger méconnaissent ou minimisent l'acuité de la problématique Québec-Canada.

En effet, les six millions de francophones du Québec, même s'ils ont réussi jusqu'à maintenant à survivre et à affirmer leur spécificité en Amérique du Nord, sont foncièrement préoccupés par les effets de la baisse de la natalité — la période de la «revanche des berceaux» est bien révolue et l'immigration ne compense plus le départ vers les autres provinces et les États-Unis de nombreux anglophones et d'un nombre important de francophones, notamment des diplômés universitaires — et par le processus d'assimilation et de minorisation qui a touché tant de leurs compatriotes. Ils n'oublient pas ce qu'il est advenu de tous leurs ancêtres émigrés aux États-Unis — à la fin du XIX$^e$ siècle, il y avait presque autant de francophones aux États-Unis qu'au Québec — ainsi qu'à une bonne partie de ceux qui vivent dans les provinces anglophones, à l'exception des Acadiens dont la très grande majorité des Québécois admirent la ténacité.

Naturellement, s'il n'y a pas une véritable politique officielle du Québec à l'endroit des Canadiens français vivant dans le reste du pays, il existe envers eux une sympathie naturelle; mais celle-ci souffre des exceptions qui laissent souvent penser le contraire. Les minorités francophones, qui se débattent déjà dans des situations fort difficiles, subissent inévitablement les contrecoups de toute décision, surtout à caractère linguistique, prise par le Québec. Leur situation de «minoritaires» étant fort différente, tout comme leurs objectifs et leurs moyens d'action, ils ne comprennent pas souvent la façon d'agir de nombreux Québécois qui refusent cette condition de minoritaires au Québec où ils sont «majoritaires».

Cette francophonie canadienne hors Québec, comptant environ un million de personnes, commence, pour des raisons diverses, à perdre confiance en un Québec qui cherche à s'affirmer et à s'interroger face à des fédéralistes qui tentent de l'utiliser. Les francophones hors Québec craignent que le gouvernement québécois s'intéresse davantage à la francophonie internationale qu'à eux. Le Québec, en tant que seul gouvernement francophone en Amérique du Nord, ne peut laisser à une autre institution — même fédérale où les Québécois sont toujours en minorité — la responsabilité de définir et de défendre ses droits, ses intérêts et ses politiques, surtout en matière culturelle et linguistique. De nombreux Acadiens partagent aussi ce sentiment.

Malgré un effort et un appui plus généreux du gouvernement d'Ottawa depuis l'entrée en vigueur, en 1969, de la *Loi sur les langues officielles*, et surtout de la *Charte canadienne des droits et libertés* de 1982, laquelle a confirmé le concept de «minorités linguistiques officielles» — concernant essentiellement les francophones hors Québec et les anglophones au Québec — toutes les statistiques officielles le prouvent indiscutablement: un grand nombre de francophones hors Québec s'assimilent lentement. Quelques statistiques suffisent à le démontrer.

Selon le recensement de 1986, près de 70 pour 100 des Canadiens français en Colombie-Britannique ont été assimilés, environ 50 pour 100 en Alberta et en Saskatchewan. Les chiffres sont au-delà de 70 pour 100 dans les provinces maritimes, à l'exception du Nouveau-Brunswick, qui est aujourd'hui, grâce à l'ardeur des Acadiens, la seule province officiellement bilingue au Canada. Près de 40 pour 100 des 540 000 Franco-Ontariens reconnaissent ne plus utiliser régulièrement leur langue même au foyer et cela au moment où le gouvernement de l'Ontario, tout en refusant de reconnaître officiellement le bilinguisme à l'échelon de la province, cherche à offrir de plus en plus de services en français. Souvent, on commence ouvertement à parler des Canadiens français comme d'«une minorité comme les autres»! S'il est injurieux de décréter la mort à court et à moyen terme de la francophonie hors Québec — car la culture française y fait même des progrès dans plusieurs milieux — il est illusoire de croire que les provinces anglophones soient prêtes à lui accorder, en droit et en fait, la place que le Québec donne aux anglophones.

D'ailleurs, un très grand nombre de personnes, notamment dans l'Ouest et les Maritimes, n'ont jamais accepté la Loi sur les langues officielles à laquelle ils reprochent de leur imposer, au plan fédéral, la langue française, ce qui est inexact. Ainsi, sur près de 13 000 postes de fonctionnaires fédéraux en Alberta, moins de 500 sont officiellement «désignés bilingues», c'est-à-dire environ 4 pour 100, alors que c'est 56 pour 100 au Québec. Il est difficile, dans de telles circonstances, de cerner les vrais motifs qui ont poussé le Premier ministre de l'Alberta, Don Getty, à réclamer l'abolition de cette loi. La condamnation de son geste a été rapide un peu partout à travers le pays, y compris par les anglophones du Québec.

La situation de ces derniers est fort particulière et a évolué rapidement au cours des dernières décennies comme l'a montré Ronald Rudin dans son volume, *Histoire du Québec anglophone 1759-1980* (Institut québécois de recherche sur la culture, 1986). Si leur nombre a beaucoup augmenté depuis la Conquête, en 1760, jusqu'au milieu du XIXe siècle, alors qu'ils formaient un quart de la population totale du Québec, avec environ 40 pour 100 des habitants des villes de Québec et de Montréal, leur pourcentage a plafonné par la suite et a commencé à décliner en termes absolus à partir de 1970. Bien plus, les Anglo-Saxons ont été relayés par de nombreux autres groupes ethniques qui ont opté, pour toutes sortes de raisons, pour l'usage de l'anglais. Les «anglos» ne forment plus que la moitié des anglophones du Québec. Il est ironique, pour des ressortissants de l'Ukraine ou de l'Allemagne, de se faire qualifier «d'Anglais» alors qu'ils n'ont aucun lien historique avec l'Angleterre. On confond malheureusement les termes «Anglais» et «anglophones» et on croit que tous forment un groupe cohérent et uni, alors que la situation est d'une grande complexité.

Mais, d'une manière générale, on doit constater que si le Québec est de plus en plus francophone, le reste du Canada devient de plus en plus anglophone — mais pas nécessairement anglo-saxon — du moins selon les statistiques démographiques, envisagées sur une base proportionnelle. Le fait français enregistre donc des gains et des pertes en même temps. Dans plusieurs provinces, notamment dans l'Ouest, les Canadiens français sont beaucoup moins nombreux que d'autres groupes ethniques qui ont néanmoins adopté l'anglais comme langue principale. C'est notamment le cas des Chinois et des Sikhs en Colombie-Britannique, des Ukrainiens et des Allemands dans les Prairies.

Ce n'est donc pas par souci d'une survivance qui risquerait d'être folklorique, à plus ou moins longue échéance, mais par «passion d'être» une société francophone singulière et compétente que le mouvement d'affirmation et d'appartenance des Québécois fait aujourd'hui une quasi-unanimité au Québec français, transcendant ainsi les partis politiques. De nombreuses personnes au Canada anglais et même des francophones à Ottawa n'arrivent pas à saisir le sens et la portée de ce courant profond. La distance psychologique entre Québec et Ottawa est considérable dans certains domaines.

La «question nationale» n'a pas le même sens dans les deux capitales. De plus, être nationaliste à Montréal ne signifie pas la même chose qu'être nationaliste à Toronto ou à Edmonton.

En effet, la problématique et la dynamique québécoises ne sont pas analysées par de nombreux Canadiens anglais en termes d'une recherche d'une plus grande compétence mais comme un nationalisme conçu et véhiculé par une élite politique, économique, syndicaliste, intellectuelle, médiatique et bourgeoise. Selon eux, «le Québécois ordinaire» est berné par ces leaders et n'a pas ainsi la capacité de faire des choix qui seraient dans ses propres intérêts! Ce point de vue, qui rappelle le syndrome de l'oncle Tom, est propagé en maints endroits.

Ce langage n'est pas nouveau. Ainsi, lors de la crise de la conscription, en 1917, l'*Evening Telegram* avait pu écrire: «Nous devons sauver le Québec en dépit de lui-même et le replacer dans le droit chemin même s'il faut employer la force.» C'est ce qui incita Joseph-Napoléon Francœur, en décembre de la même année, à présenter au parlement québécois la première motion visant à la rupture du pacte fédératif de 1867.

Il est fort intéressant de voir combien les visions des mêmes événements sont souvent fort différentes et comment «les héros nationalistes» des francophones ne sont pas ceux des anglophones, comme c'est particulièrement le cas dans la littérature, l'art, la chanson et le spectacle, à l'exception des sports et, évidemment, dans la politique, la vie sociale, où l'on a connu «les deux solitudes» et même dans divers milieux économiques. Les pendules n'indiquent pas toujours la même heure au Canada anglais et au Québec francophone.

Ainsi, on a presque toujours fait des lectures très opposées des temps forts de la vie nationaliste canadienne-française et québécoise: la rébellion des Patriotes de 1837; la pendaison du leader métis Louis Riel, en Saskatchewan, en 1885; les crises de la conscription durant les deux guerres mondiales; la montée des mouvements nationalistes, au cours des années 30; les revendications autonomistes de Duplessis, notamment l'établissement de l'impôt provincial sur le revenu, en 1954, et la création du Régime des rentes par Jean Lesage, en 1964; la montée des mouvements indépendantistes, depuis l'Alliance laurentienne de Raymond Barbeau, l'Action socialiste pour l'Indépendance du Québec de Raoul Roy, le Ralliement national du D$^r$ René Jutras jusqu'au Rassemblement pour l'indépendance nationale (RIN) de Marcel Chaput, André d'Allemagne et Pierre Bourgault; les premières bombes posées par le FLQ, en 1963; le Samedi de la matraque lors de la visite de la Reine Elizabeth II, à Québec, en 1964; le «Vive le Québec libre» du général de Gaulle, en 1967; les manifestations en faveur des droits de la majorité linguistique à St-Léonard et d'un McGill français, en 1969; les événements d'octobre de 1970; le combat des «gens de l'air», quelques années plus tard, pour faire reconnaître l'usage du français dans le contrôle du trafic aérien au Québec; les lois linguistiques du Québec, en 1973, 1977 et 1988 et le référendum de 1980. Il en est de même de tous les règlements et de toutes les lois qui ont réduit l'usage du français dans plusieurs municipalités, notamment à Sault-Ste-Marie, en 1990, et dans certaines provinces, en particulier en Alberta et en Saskatchewan, en 1988.

Les mutations sont profondes car les leaders autonomistes québécois, depuis le Premier ministre Honoré Mercier (1887-1891) jusqu'au Premier ministre Maurice Duplessis (1936-1939, 1944-1959), en passant par Henri Bourassa (fondateur du Devoir en 1910), étaient de véritables nationalistes canadiens qui s'opposaient aux sentiments impérialistes et orangistes de nombreux Canadiens anglais. Ils étaient pour un Québec autonome, à l'intérieur du Canada, et pour un Canada plus indépendant, à l'intérieur de l'Empire britannique. Les Premiers ministres canadiens-français à Ottawa, Wilfrid Laurier (1896-1910), Louis St-Laurent (1948-1957) et Pierre Elliott Trudeau (1968-1979, 1980-1984), ont pu être perçus différemment à travers le pays mais chacun a été reconnu comme un nationaliste canadien. Les choses ont rapidement évolué après eux, car les «nationalistes canadiens» sont plus nombreux au Canada anglais qu'au Québec où le nationalisme prend une dimension principalement québécoise.

Les «nationalistes canadiens» — notamment en Ontario où l'on jouit depuis plus de trois décennies des avantages découlant du Pacte de l'automobile avec les États-Unis — n'ont pas pardonné aux Québécois d'avoir voté massivement en faveur de la réélection du gouvernement de Brian

Mulroney, en 1988, et de favoriser la signature de l'Accord du libre-échange avec les États-Unis auquel ils étaient farouchement opposés.

En plus de mal interpréter le comportement électoral du Québec qui vota surtout pour Brian Mulroney parce que c'était «l'un des siens», comme il l'avait fait auparavant pour Pierre Elliott Trudeau, ces analystes n'ont pas compris, ou ne veulent pas comprendre, que l'on peut être Québécois avant d'être Canadien, un peu de la même façon que les Écossais sont Écossais avant d'être Britanniques, ce qui ne les empêche pas d'être citoyens du Royaume-Uni. Lorsqu'on demande à un Écossais d'où il est originaire, il répond spontanément qu'il vient d'Écosse, ce qui n'indispose pas les Anglais. Les Gallois sont aussi très fiers de leur identité nationale à l'intérieur du Royaume-Uni et d'avoir, comme en Écosse, des institutions publiques qui reflètent leurs particularismes. Personne en Europe n'aurait pensé que les habitants de la Slovaquie devraient être Tchécoslovaques avant d'être Slovaques.

Ces considérations, pourtant évidentes en Europe, ne le sont pas au Canada. C'est en partie à cause de ce mur psychologique que de nombreux Québécois francophones en sont venus à la conclusion, surtout depuis l'échec de l'Accord du lac Meech, que jamais ils ne pourraient, dans le système constitutionnel actuel, obtenir les pouvoirs qu'ils considèrent comme essentiels pour assurer leur épanouissement économique et culturel en tant que société nord-américaine.

Quels sont précisément ces pouvoirs? L'éducation, la recherche et le développement, la culture, les communications, la formation et la main-d'œuvre, l'immigration, les ressources naturelles, les politiques linguistiques, le développement régional sont les juridictions les plus ardemment réclamées par tous les gouvernements québécois, depuis 1960, à la condition d'obtenir en même temps les équivalents fiscaux, pour pouvoir offrir les mêmes services. Le problème est que la plupart de ces domaines sont remplis de «zones grises»; de plus, de nombreux Québécois, en commençant par des artistes et des écrivains, n'apprécient guère l'idée du «rapatriement et d'une bureaucratisation de la culture par des fonctionnaires qui les méprisent»!

* * *

Beaucoup d'étrangers, enthousiastes face aux vastes horizons canadiens, admiratifs devant la paix, la liberté, la stabilité, la justice sociale, la prospérité qui y règnent globalement, et confiants en l'engagement international du Canada, n'arrivent pas à saisir le véritable enjeu du débat entre le Québec et le Canada anglais. Ils ne comprennent surtout pas — ce qui est devenu fondamental — que la séparation entre l'économique et le culturel, le national et l'international s'atténue et que, pour ne pas disparaître à longue échéance mais plutôt pour développer leur culture et leur identité, les Québécois francophones se doivent de mieux maîtriser ces volets, au seul endroit où ils sont majoritaires et où l'on peut véritablement et collectivement travailler en français en Amérique du Nord, c'est-à-dire au Québec.

De nombreux Canadiens anglais sont aussi très inquiets face à la possibilité de l'absorption du Canada par le géant américain. L'hypothèse continentaliste a été une constante dans l'histoire du Canada, comme l'a démontré George Grant dans *Lament for a Nation, the Defeat of Canadian Nationalism* (Carleton Library, 1965). Les opinions sont fort controversées à ce sujet. Plusieurs prétendent que le Canada s'est bâti, non pas en fonction de lui-même, mais à l'encontre des États-Unis; c'est-à-dire en préservant la monarchie, le style tory, les religions hiérarchiques, le respect de l'État et de l'autorité tout en adoptant un socialisme modéré et bienfaisant et en refusant les idéaux de la Révolution américaine qui avait prôné le renversement de la royauté, d'un gouvernement fort, des structures aristrocratiques en faisant triompher le peuple, la république, le système présidentiel, la modernité, une société nouvelle «parlant la même langue et adorant le même Dieu» ainsi que les concepts liés à l'égalitarisme, au populisme, à l'individualisme et à l'anti-étatisme, de même que des idées prônées par la Réforme par rapport à celles défendues par l'Ancien Régime.

C'est pourquoi, en se fondant aussi sur de nombreux sondages, certains affirment que les Canadiens français, qu'on avait pourtant persuadés de combattre ces idées au lendemain de la Révolution américaine, seraient au fond émotionnellement et idéologiquement plus près des Américains que ne le seraient les Canadiens anglais. D'autres, cependant, font des amalgames sommaires et prétendent que, sans le Québec, le Canada anglais ne se distinguerait plus beaucoup des États-Unis; une telle suggestion fait bondir tous les descendants des loyalistes.

Comme l'a remarquablement montré Seymour Martin Lipset dans son étude *Continental Divide: The Values and Institutions of the United States and Canada* (Routledge, 1990), ce point de vue ne résiste pas à l'analyse sérieuse des identités respectives, de la vie et des institutions juridiques, politiques, électorales, sociales, surtout en matière d'assurance santé, de langues, de culture, de religion, de médias, de banques, de relations du travail et de distribution des richesses, sans oublier le rôle beaucoup plus interventionniste des instances publiques au Canada ainsi que la primauté des «communautés» et de la «mosaïque sociale» par rapport à l'individualisme et au *melting pot* américains.

Néanmoins, le continentalisme demeure une lourde hypothèque sur l'immeuble canadien et représente, à l'époque du libre-échange des biens, des capitaux, des services, des ondes, des images, des idées et surtout des êtres humains, une donnée centrale dans le devenir du Canada et du Québec. Les nationalistes québécois, tout comme les nationalistes canadiens, en minimisent souvent le sens et la portée. De son côté, l'Américain moyen considère le Canada comme un allié sûr, fidèle et acquis d'avance («*taken for granted*»), dont il ne comprend pas les vélléités d'indépendance économique et les disputes culturelles et linguistiques. Si, au fond, il admire certains des programmes sociaux du Canada, surtout en matière d'assurance santé et de sécurité physique et sociale, de même que de répartition des richesses, il n'est pas prêt pour autant à accepter d'emblée certaines manières de faire canadiennes dans ce domaine, car cela irait à l'encontre des credos politico-économiques du «marché» sur lesquels les États-Unis se sont bâtis et à l'encontre des intérêts bien ancrés de groupes qui détiennent ou influencent le pouvoir réel.

Être Canadien est un fait. Être Américain est un engagement. Si le Canada s'est bâti sur des institutions, des cultures et à l'encontre de nombreux éléments, les États-Unis se sont construits sur une foi, une mission et une idéologie. L'Américain ne sent pas le besoin de définir son identité alors que le Canadien passe son temps à la chercher. Si le système économique fort concurrentiel engendre une sorte de chaos créateur aux États-Unis, les perpétuelles divisions constitutionnelles risquent de faire du Canada une création politique chaotique. Alors que le Canadien succombe facilement au pessimisme, l'Américain, de son côté, lorgne émotionnellement vers un avenir optimiste.

Les comparaisons entre le Canada et les États-Unis, de même que les analyses du continentalisme, risquent d'être peu pertinentes si elles ne tiennent pas compte des importantes variantes de la géographie, de l'histoire, de la culture, de la littérature et de la démographie de chaque pays, sans oublier les structures et les conjonctures nationales ainsi que les politiques et les responsabilités internationales particulières; il faut aussi comprendre le rôle singulier des associations civiles aux États-Unis, des sociétés, des fondations privées et celui des instances publiques au Canada; il faut saisir l'importance de l'invocation constante, ce qui tient parfois à l'incantation, du premier amendement — portant sur les droits et les libertés fondamentales — de cette remarquable Constitution américaine qui perdure depuis 1789; il faut enfin voir la place majeure de l'argent, du profit, de Wall Street, de la publicité, d'une certaine «moralité», de la télévision dans la promotion politique et économique et dans l'ascension de l'échelle sociale, ce qui n'est pas toujours le cas au Canada.

Ces phénomènes, associés à la poursuite du rêve américain, agissent comme un aimant auprès de millions de citoyens et d'immigrants venant de toutes les régions du monde, y compris du Canada; ceux-ci ont la conviction que les États-Unis sont à la fois l'État des *«great expectations»* où se passent les choses les plus importantes, globalement ou dans leur domaine d'intérêt; un pays aux richesses exceptionnelles où l'on peut faire fortune, pratiquer sa religion, conserver ses traditions culturelles et familiales dans n'importe quel des cinquante États de l'Union; une «terre promise» où le petit immigrant peut devenir un «champion», une «star», son propre *«boss»*, chef d'entreprise, secrétaire d'État. Un endroit où l'on peut profiter de la *«good life»* dans des sites pittoresques et enchanteurs sous des climats variés pour trouver *«the best, the greatest, the biggest, the fastest»* en toute simplicité et sans trop de contrôle bureaucratique; ils voient les États-Unis comme un pays où la liberté rend tout possible et où le talent individuel est reconnu; où l'on peut réussir *«from rags to riches»* si on travaille beaucoup dans une économie où «ça bouge et ça marche avec la concurrence», où les gens ne se prennent pas au sérieux car chacun peut interpeller chacun par son prénom peu importe sa fonction mais à la condition d'accepter le creuset social, les normes générales du capitalisme, les règles du jeu de la démocratie américaine où moins de 40 pour 100 des citoyens expriment effectivement leur vote lors des élections présidentielles; si on partage les habitudes d'une société en quête constante de renouveau, de modes nouvelles qui créent une économie de changement où les besoins de consommation ne peuvent jamais être assouvis; mais, en même temps, un pays qui veut à tout prix maintenir certaines valeurs politiques, économiques, sociales et religieuses, par le truchement de ses deux grands partis, Démocrate et Républicain, d'associations, d'entreprises, d'Églises et de sectes innombrables qui tentent de regrouper des fidèles aux convictions parfois inébranlables et extraverties, parfois chancelantes, variantes ou indifférentes, surtout celles des générations issues des années 1960-1970 alors que la crise de Cuba, l'assassinat du président

John F. Kennedy et de Martin Luther King Jr., les explorations spatiales, notamment les premiers pas de Neil Armstrong sur la lune, ainsi que la guerre du Viêt-nam, l'esprit de Woodstock, suivis du Watergate, la démission de Nixon et enfin l'Irangate ont laissé des traces profondes et marqué l'inconscient américain.

Une partie de ces jeunes générations n'accepte plus le double langage et les attitudes feutrées d'élites traditionnelles qui tolèrent les inégalités sociales et les égocentrismes, l'avidité et la cupidité («*greed*») d'individus, d'entrepreneurs, de conseillers en bourse, de divers groupes et même de «*preachers*» qui claironnent les versets de la Bible et ce qui serait, à leurs yeux, «*politically correct*» devant de vastes auditoires à la radio et à la télévision. Ce que recherche une partie des Américains, c'est une nouvelle culture démocratique où les femmes joueront un rôle de premier plan et où les relations humaines seront fondées sur la franchise, le savoir, la tolérance et la coopération plutôt que sur les apparences, la force, l'ordre et les intérêts étroits. Ces sentiments contradictoires fondés sur des préjugés et des repliements et, d'autre part, sur des ouvertures généreuses et des naïvetés surprenantes se retrouvent «*All in the Family*».

Les États-Unis ont une population dix fois supérieure à celle du Canada; ce rapport de un à dix se répercute dans plusieurs domaines en commençant par la masse monétaire, économique, financière et boursière mais non au chapitre des revenus *per capita* et celui de nombreux aspects sociaux où les Canadiens n'ont rien à envier à leurs voisins du Sud. Cette asymétrie se matérialise surtout dans un marché gigantesque pour tout bien, produit, service ou idée. En effet, tout prend une taille, une dimension différente du Canada aussi bien sur le plan positif que sur le plan négatif dans une société où une richesse fabuleuse et une pauvreté inattendue sautent aux yeux; dans un système qui permet, malgré l'existence de certains programmes sociaux et de certains projets spécifiquement établis pour lutter contre la pauvreté, que plus de 90 millions de citoyens n'aient pas ou très peu de protection en matière d'assurance santé; qui tolère que 60 pour 100 des fruits de l'augmentation de la croissance économique, entre 1980 et 1990, aient profité à seulement 1 pour 100 de la population; qui se trouve devant le fait qu'il y ait plus de Noirs de 18 à 25 ans en prison qu'à l'université, même si les États-Unis ont le plus haut pourcentage de jeunes dans l'enseignement supérieur des pays industrialisés, et cela malgré des frais de scolarité très élevés parce que partout on clame la nécessité d'aller au *college*.

Alors que les jeunes d'origine asiatique sont de plus en plus nombreux dans les meilleures universités et y obtiennent souvent les premiers prix et que ceux d'origine hispanique commencent à y faire des percées significatives, les Noirs américains qui représentent 12 pour 100 de la population totale sont loin d'y trouver leur compte, sauf dans les équipes sportives étudiantes, bien que leur nombre soit considérable dans les collèges et universités qu'ils dirigent eux-mêmes. Au deuxième et troisième cycles, leur présence est très faible; ainsi, en 1990, seulement 1 pour 100 de tous les doctorats octroyés aux États-Unis l'ont été à des Afro-américains, comme ils se désignent maintenant.

Malgré les croisades des années soixante pour mettre fin aux lois raciales et le «*We shall overcome*» ainsi que la «*Great society*» pour faire reconnaître les «*civil rights*», malgré la montée d'une classe moyenne importante et d'élites influentes dans la politique, la religion, les sports, le monde du spectacle et de la télévision, les Noirs subissent toujours dans les faits une forme de marginalisation, une situation «*separate, hostile and unequal*» qui entraîne des explosions de colère, comme on l'a vu à Los Angeles, en 1965 et en 1992 où 50 pour 100 des Noirs dans le quartier de Watts étaient chômeurs et affirmaient n'avoir rien à perdre car ils se sentaient exclus d'une société avec laquelle leur seul contact direct demeurait un système policier et judiciaire qui les opprimait. La droite conservatrice met cela sur le dos des Noirs eux-mêmes qui seraient, selon eux, plus portés vers la drogue, la violence et la criminalité que vers l'étude, le travail et le respect du «*law and order*», alors que ces derniers accusent un système global qui favorise d'abord les Blancs et ensuite les autres minorités bien avant eux, ce que contestent les Amérindiens qui sont aussi très défavorisés mais dont la situation est souvent fort différente de celle des autochtones qui habitent le Canada.

Si la population blanche constitue 80 pour 100 de celle des États-Unis d'Amérique, les Afro-américains sont déjà 30 millions (plus que la population totale du Canada), les Hispano-américains représentent près de 25 millions de citoyens en croissance très rapide en Floride, en Californie et au Nouveau-Mexique et naturellement à Puerto Rico; les habitants d'origine asiatique, incluant ceux de Hawaï, Guam et d'autres îles du Pacifique, forment déjà 9 millions sur un total de 255 millions comprenant, en 1992, environ 2 millions d'Amérindiens, d'Esquimaux et d'Aleuts, ces deux derniers groupes étant surtout concentrés en Alaska.

La montée des minorités visibles a modifié radicalement la physionomie culturelle et le profil d'une société de plus en plus urbaine, non seulement dans les grandes métropoles, mais aussi dans les villes de taille plus petite. Avec la fuite vers les banlieues des classes moyennes, le centre des villes a été abandonné aux personnes seules et surtout aux minorités qui commencent à s'opposer violemment entre elles, comme on le voit aussi au Canada et en Europe.

Le «*Shopping Mall America*» des banlieues où l'on tente de s'éloigner des minorités est en train de devenir le nouveau «*Main Street America*» où se définissent les comportements et le caractère de nombreux Américains moyens. Cependant les évasions et les divisions traditionnelles deviennent de moins en moins possible. De plus, l'information immédiate crée de nouvelles mentalités qui clament la nécessité de s'intéresser moins au Koweit, à l'ex-URSS et au tiers monde et l'urgence de se pencher sur les problèmes internes américains («*Come home America*») — surtout ceux des grandes métropoles où le chômage, la violence de même que la croissance économique et démographique très rapide a engendré

des explosions sociales et écologiques aux dimensions expo-
nentielles.

Cette société américaine mouvante et multi-culturelle
dont l'extraordinaire capacité d'innovation et d'absorption
est capable d'engendrer le meilleur et le pire, de dégager ce
qu'il y a de plus généreux et de plus avilissant chez l'être
humain, de susciter les exemples de courage et de partage
chez les plus nobles avec beaucoup de simplicité et de spon-
tanéité, ce qui fait souvent défaut en Europe et en Asie, de
tolérer la décrépitude de ses infrastructures publiques, de ses
routes, de ses autoroutes, ponts, viaducs, systèmes d'égouts et
aqueducs, de ses écoles publiques face à des dépenses colos-
sales en matière de défense. La réfection de ces infrastructures
et la transformation de l'industrie de la défense exigeraient
un *New Deal,* comme celui, lancé par Roosevelt en 1932
pour remettre l'Amérique au travail après la grande crise
économique de 1929, de ne pas étendre davantage les filets
de protection sociale semblable à ceux qui existent dans les
autres pays industrialisés où est reconnu le concept de l'État-
providence, ce que les États-Unis n'ont jamais voulu.
Washington n'a même pas hésité, à l'époque du président
Reagan, à réduire les budgets des affaires sociales et municipales pour augmenter ceux de la défense et de la sécurité
interne et mondiale — ce qui commence à changer, mais fort
timidement — au grand mécontentement de toutes les
minorités et de ceux que l'on caractérise de *liberals,* associés
habituellement mais non exclusivement aux Démocrates.
Toute réduction dans ce domaine pose aussi des problèmes
de chômage et de restructuration dans la recherche et la
production, mais elle remet surtout en cause les credos de
l'État-gendarme et du «laisser-faire» qui sont au cœur du
système politique et économique, qui veut que l'État veille
d'abord à la défense et à la sécurité des citoyens et à la
promotion, au pays et ailleurs, des valeurs démocratiques
mais qui pour le reste s'en remet au «privé et au marché».

C'est évidemment pourquoi, pendant et après l'épreuve,
une vaste majorité d'Américains savent la plupart du temps

se rallier derrière leur Président, leur Congrès et leurs principaux leaders afin de retomber sur leurs pieds et faire face à l'adversité car «il faut avoir la foi en Dieu, en l'Amérique et continuer» car *Tomorrow will be OK*», exprimant souvent alors un patriotisme fébrile et une fierté exubérante, surtout lorsque l'oncle Sam a envoyé «les *boys*» à l'étranger. On oublie alors de nombreux problèmes sociaux et on repousse les échéances en la matière, ce qui contribue à marginaliser davantage les défavorisés qui rongent leur frein jusqu'à une prochaine explosion, laquelle stimule encore la vente d'armes toujours plus puissantes pour assurer la protection personnelle, mais qui évidemment fait augmenter la criminalité dans des milieux où la télévision et le cinéma ont banalisé la violence et l'ont rendue séduisante et rentable.

Si les problèmes liés à cette criminalité, à la violence, aux inégalités raciales, à la drogue, aux familles monoparentales, à l'habitat non salubre sont plus visibles aux États-Unis qu'au Canada, il en est de même de la vitalité et de la créativité économique et boursière, agricole et commerciale, scientifique et technologique, intellectuelle et universitaire. Ainsi, on trouve 13 millions d'étudiants, c'est-à-dire la moitié de la population du Canada, dans plus de 3 400 collèges et universités, sans compter les milliers de centres de recherche publics et privés où la recherche vraiment sérieuse n'est pas un projet mais une réalité. C'est sans doute pourquoi on trouve aux États-Unis la très grande majorité des prix Nobel; on sait y attirer les meilleurs cerveaux qui ont le besoin de sentir l'ouverture et l'émulation intellectuelle et scientifique sans perdre de vue leur sens critique et celui de la perspective devant une Amérique complexe et contrastée qui soulève en même temps l'admiration et la réserve.

On a souvent l'impression d'être dans une société qui vit dans un perpétuel trop plein de quotidiennetés relayées nerveusement par des médias qui font vite oublier celles de la veille. Un tel climat psychologique pousse parfois les Américains et régulièrement le Gouvernement lui-même — malgré un réservoir gigantesque d'informations et de connais-

sances — à avoir, surtout en matière de politique internationale, un sens de l'Histoire peu conséquent avec la moralité
et les notions d'éthique démocratique qu'ils évoquent sur le
plan interne.

Environ un demi-million d'étrangers étudient présentement dans ces universités; un très grand nombre au niveau
de la maîtrise et du doctorat. Plus de la moitié d'entre eux
viennent de pays asiatiques. Les Canadiens viennent au
sixième rang après les ressortissants de la République populaire de Chine qui sont les plus nombreux, malgré les suites
des événements de Tien an Men, suivis de ceux du Japon, de
la République de Corée, de Taïwan et de l'Inde.

Cette activité universitaire et scientifique dans tous les
domaines, notamment ceux de pointe comme l'aéronautique,
la robotique, l'espace sous-marin et extraterrestre, l'atome, la
matière, l'informatique et la biotechnologie, le «manage-
ment», sans oublier les sciences humaines et sociales,
médicales et agricoles, exerce une influence croissante dans le
monde. Il en est de même du monde du spectacle, de la
musique, des sports, des affaires, du cinéma, des médias et
des communications, à commencer par des «séries télévisées»
qui rejoignent plus de cent pays et par les informations du
réseau CNN, mais surtout d'une culture populaire
américaine, y compris les façons de se vêtir et de se divertir,
de manger et de gérer. Ajoutons à cela l'énorme puissance
économique et financière du marché américain et une force
militaire maintenant inégalée ainsi qu'une stratégie contestée
de gendarme de la planète de même qu'une conception
particulière de la promotion des droits humains et du respect
de l'environnement lorsque ceux-ci ne vont pas à l'encontre
des intérêts américains maintenant répartis dans toutes les
régions du monde.

En somme, tous ces facteurs et tant d'autres encore,
comme le rôle du dollar en tant que monnaie de change et de
réserve, d'étalon de comparaisons, de fixation des prix des
matières premières, notamment du pétrole, donnent un statut
de super-puissance et de république impériale aux États-Unis

et compenseront encore pendant de nombreuses années pour son déclin proportionnel en matière économique, surtout industrielle et financière, exacerbé par des déficits budgétaires et commerciaux énormes qui leur valent les remontrances futiles du FMI, et par une crise économique tenace ainsi que par des faillites, dont celle monstrueuse des *Savings and Loans*, au montant de cinq cents milliards de dollars (il s'agit bien de milliards et non de millions). Ces phénomènes ont contribué à la mise à l'écart de l'hégémonie américaine, du moins par rapport au Japon et à la Communauté européenne.

Mais, même là, les États-Unis ne répondent pas globalement aux clichés et aux stéréotypes que l'on entretient au sujet de la faiblesse de leur productivité. En réalité, dans les vingt domaines les plus importants de la production économique, l'Allemagne ne venait en tête, en 1990, au chapitre de la productivité, que dans le secteur des finances, des assurances et de l'immobilier. Les Japonais étaient premiers dans quatre secteurs: l'automobile; les équipements électriques et électroniques; les produits chimiques, plastiques et synthétiques; l'acier, l'aluminium, le cuivre et certains autres métaux. Dans tous les autres secteurs, les États-Unis occupaient le premier rang, depuis le pétrole, les équipements lourds et la construction jusqu'aux produits alimentaires, les transports et les communications, les services touristiques et d'hôtellerie en passant par l'agriculture, les mines et les forêts.

Les jugements que l'on porte sur les États-Unis, comme c'est généralement le cas de toutes les grandes puissances, reposent souvent sur des visions sélectives. Les États-Unis d'Amérique suscitent beaucoup d'inimitiés et d'envies dans le monde, mais un nombre de plus en plus grand de gens se mettent à l'américain à peu près partout, y compris les grandes organisations internationales dont plusieurs ont leur siège à New York et à Washington.

Le Canada, par sa contiguïté géographique, est un des premiers pays à subir les effets bénéfiques ou néfastes de cette puissance américaine. D'ailleurs, par le biais des grands réseaux américains de télévision que l'on peut capter presque partout au Canada directement ou par l'entremise de la câblo-vision, les Canadiens peuvent suivre instantanément l'évolution des événements aux États-Unis alors que l'inverse n'est pas vrai. Si les Américains peuvent ne pas penser au Canada, les Canadiens ne peuvent échapper aux États-Unis. Tôt ou tard, les débordements sont inévitables. La capacité de résistance du Canada est beaucoup plus forte qu'on ne le croit dans les domaines politiques et sociaux mais beaucoup moins sur les plans économique, culturel, commercial et financier. Dans certains sports professionnels, l'intégration est presque complète. Le continentalisme n'est pas une abstraction pour les sportifs, pour certains gens d'affaires et pour le nombre croissant de Canadiens qui séjournent presque la moitié de l'année sous le soleil de la Floride, de la Californie et de l'Arizona.

Certains soutiennent que de nombreuses institutions politiques du Canada et même le fédéralisme canadien, bien qu'il soit beaucoup plus décentralisé, sont fortement influencées, surtout dans l'Ouest, par le régime américain. En dépit du fait que les pouvoirs et les intérêts locaux et régionaux soient encore très puissants aux États-Unis, notamment dans les anciens États confédérés, ainsi qu'en Alaska, à Hawaï et à Puerto Rico, ceux-ci s'atténuent progressivement sous la force de mouvements divers et face à la puissance unificatrice des politiques nationales, du marché unique, de certains journaux et magazines, de la musique et des sports, de la télévision et surtout d'un Président et d'une Cour suprême dont les pouvoirs s'accroissent face à un Sénat et à une Chambre des représentants de plus en plus contestés dans l'opinion publi-que que l'on sonde constamment et sur tous les sujets. Ces forces centripètes sont beaucoup moins fortes au Canada.

D'aucuns prétendent que les États-Unis ont intérêt à ne pas pousser trop loin le continentalisme sur un plan plus formel, car ils en ont déjà les avantages *de facto*. Un conti-nentalisme politique leur apporterait des ennuis dont ils peuvent bien se passer. D'ailleurs, ils peuvent toujours montrer qu'ils s'accommodent bien de la souveraineté de leur voisin du Nord qui partage leurs valeurs démocratiques et ne leur porte pas souvent ombrage, mais leur apporte plutôt régulièrement un soutien diplomatique fort utile.

D'autres, cependant, soutiennent que les vieux démons expansionnistes américains, dont ont bien souffert les Amérindiens et les Mexicains, ne font que somnoler. Selon eux, le «Go West Young Man» et le *Manifest Destiny* d'hier deviendront demain le «*Go North and Go South*» ainsi que le grand projet de libre-échange à l'échelle de l'hémisphère, à commencer par le Canada, le Mexique puis le Chili. Et cette fois, il n'y aura pas de conflit militaire, car les gouvernements voisins réclament cet engagement américain.

Si, pendant les dernières décennies, à cause de la guerre froide avec l'ex-URSS, la position géostratégique du Canada a retenu une attention prioritaire à Washington, il ne fait plus de doute qu'au cours des prochaines années certaines richesses naturelles, notamment l'eau potable, vont devenir des objets de la convoitise américaine, quel que soit l'avenir constitutionnel du Canada.

En effet, si plusieurs milieux spécialisés suivent de près ce qui se déroule au Canada, ce n'est pas du tout le cas de la majorité des Américains qui sont plus préoccupés par ce qui se passe au Moyen-Orient, au Pérou et au Japon qu'ils croient massivement être leur principal partenaire commercial, alors que le Canada et les États-Unis sont les deux partenaires les plus importants dans toute l'économie mondiale. Contrairement à ce que d'aucuns soutiennent au Canada, les débats linguistiques au Québec ne passionnent pas les Américains; les exploits des Canadiens au Forum et la sécurité du toit du Stade des Expos de même que les fronts froids climatiques qui proviennent du Nord et la complexité du système métrique piquent davantage leur curiosité, ce qui ne signifie pas qu'ils ignorent tout du Canada, du Québec et des Premières nations. De nombreux centres universitaires, milieux politiques, économiques et financiers ont une connaissance remarquable du Canada. D'ailleurs, plusieurs

responsables américains n'hésitent plus à s'exprimer ouvertement sur la problématique canado-québécoise comme l'a fait
l'Atlantic Council of the United States dans sa déclaration du
4 avril 1992, intitulée *Canada's Crisis and American Inte-
rests*.

Ainsi, on assiste en cette dernière décennie du siècle, à
une étonnante et nouvelle coalition d'intérêts américains
opposés en apparence. Il s'agit de milieux économiques conservateurs et de mouvements écologistes dont les projets
risquent d'avoir les mêmes effets négatifs sur le développement économique et sur l'emploi au Canada et au Québec.
Les deux soutiennent que les États-Unis doivent restreindre
leurs importations de certains produits, déjà œuvrés en partie
au Canada, c'est-à-dire l'électricité et le bois fini. Ce qu'ils
veulent vraiment, ce sont l'eau et les billots qu'ils pourront
utiliser et transformer en créant des emplois sur leur propre
sol! Cela devrait rappeler que, continentalisme réel ou mitigé,
environnementalistes sincères ou déguisés, dans les rapports
économiques internationaux entre plus puissants et moins
puissants «plus ça change, plus c'est pareil», même entre des
alliés aussi fidèles que le Canada et les États-Unis qui ont des
accords dans tous les domaines imaginables depuis la défense
jusqu'au libre-échange en passant par les transports, l'agriculture, l'énergie, les pêcheries et, le croirait-on, le contrôle
des eaux, la qualité de l'air et de l'environnement!

\* \* \*

Sur le plan interne, un grand nombre de Canadiens et de
Québécois, les yeux rivés sur des quotidiennetés contraignan-
tes à plusieurs titres, sur des nationalismes de nature différente, les cœurs avivés par des «passions d'être», les
ambitions attisées par des «désirs d'avoir» convergents et
concurrents en même temps, ont été poussés à d'inévitables
confrontations, sans analyser l'impact profond des mutations
internationales, psychologiques et éthiques, scientifiques et
technologiques, sans réfléchir suffisamment et de façon très

pratique aux transformations des fonctions et des qualités de l'État postindustriel dans la recherche de solutions constitutionnelles à leurs problèmes.

*Passion d'être, désir d'avoir,* sont deux concepts qui représentent non seulement le sens profond des querelles conjoncturelles et de l'impasse structurelle entre le Québec et le Canada, mais qui expliquent aussi la modicité et l'étroitesse des optiques et des approches choisies par plusieurs acteurs et observateurs. En plaçant le débat sur le plan des phénomènes principalement linguistiques et culturels, économiques et matériels, on accélère les antagonismes, on favorise les réductionnismes et on entretient le manichéisme dans les pensées. On encourage, souvent sans le vouloir, aussi bien au Québec qu'au Canada anglais, une forme de dogmatisme et de sectarisme qui exclut toute autre forme de réflexion, ce qui n'a rien à voir parfois avec les options politiques et constitutionnelles elles-mêmes.

Il convient de le signaler tout de suite: le Canada en soi, tout comme le Québec en soi, a un sens aussi bien conceptuel que pratique. C'est la façon strictement conjoncturelle, structurelle et nécessairement conflictuelle de les présenter qui est non satisfaisante, car elle laisse croire que seules des idéologies nationalistes et simplificatrices peuvent être saisies et comprises par les populations. On réduit les dimensions du débat pour mieux les monopoliser.

Ainsi, les porte-parole de l'idéologie fédéraliste traditionnelle, en prônant de façon rigide une foi absolue en l'unité du Canada, et d'autre part, les tenants de l'indépendance québécoise, en maximisant les notions de suprématie de l'État, ont tous les deux évacué du débat des questions essentielles, telles que le droit des individus et des sociétés à vivre ou à ne plus vivre ensemble, l'importance pour l'État d'être au service des individus et non l'inverse, l'intérêt commun, le rôle de l'éthique et des valeurs, la tolérance et la compassion, la non-violence et l'antiracisme, les libertés individuelles et l'espace majeur que doit occuper la société civile ainsi que la responsabilité des individus dans l'État.

Naturellement, toutes ces valeurs inquiètent ou font sourire ceux et celles qui ont des réponses faciles à tous les problèmes et qui définissent essentiellement la vie sociétale en termes de luttes et d'oppositions, d'intérêts et de pouvoirs, de structures et de cultures. Ils ignorent que le pouvoir politique à lui seul, dans le monde de demain, donnera une indépendance illusoire, car pouvoir et savoir ne pourront plus être dissociés.

Or, en s'accrochant à des pôles qui agissent à la fois comme des aimants et des centres d'émission, trop de gens font abstraction d'éléments fondamentaux comme la montée de la technologie, la mondialisation, l'interdépendance des États, sans oublier l'importance considérable du rapprochement entre les professions et les disciplines: ainsi, les juristes s'ouvrent de plus en plus à l'économie, à l'histoire, à la psychologie, à la sociologie, aux sciences pures et appliquées, à la médecine, alors que l'inverse est aussi vrai. De plus, on assiste à un retour en force de la philosophie des sciences.

Les recherches actuelles, aussi bien dans les sciences exactes qu'en sciences humaines, tendent à abolir les distinctions entre matière, conscience et esprit, autant de phénomènes qui marqueront profondément les façons de vivre et de penser dans le monde de demain. Max Planck soulignait si justement que: «La vérité ne triomphe jamais, mais ses adversaires finissent par mourir.» En réalité, il faut apprendre, avant de comprendre, que le savoir définira de plus en plus le pouvoir et, qu'à ce chapitre, l'international et le multinational vont structurer et agencer le mondial et le national. L'État-nation vit déjà sous influence internationale.

On dira que cela est naturellement trop complexe! Jusqu'en 1960, on «traitait» souvent de «poètes» ceux qui soulevaient les vrais problèmes socio-économiques au Québec. Aujourd'hui, on n'hésite pas à taxer de «traîtres» ceux qui ne pensent pas «Canada d'abord» ou «Québec d'abord». On n'hésite pas à verser dans une poésie dont la versification est âpre à l'oreille et rêche à l'esprit de celle et celui pour qui la démocratie n'est pas un concept creux.

Ainsi, certains hommes politiques au Canada pensent sincèrement, et beaucoup d'observateurs étrangers partagent cet avis, que l'unité du Canada passe avant l'épanouissement de la société et des individus: la «realpolitik» d'abord! De leur côté, certains Québécois veulent «leur État-nation» à tout prix, même s'il leur faut faire des accrocs majeurs aux libertés fondamentales: la «nationalpolitik» d'abord! On a même pu parler de la souveraineté comme «l'État naturel» des Québécois! Qu'attend-on pour ressortir l'État de droit divin?

Dans différents milieux, on voit comme de vrais ennemis, de faux patriotes, des adversaires suspects, tous ceux et celles qui ne partagent pas «son» credo politique; on n'hésite pas à les classer, comme le font les ornithologues pour certains types d'oiseaux, en espèces vulnérables, en espèces menacées et en espèces en danger, selon leur attitude à l'endroit des principales mouvances politiques et constitutionnelles.

De tels «états d'esprit», créent, de part et d'autre, des «esprits d'État», c'est-à-dire des façons de voir où le contenant étatique a souvent plus d'importance que le contenu démocratique. Le XX$^e$ siècle a connu de nombreux contenants où la propagande et la démagogie ont créé des régimes profondément antidémocratiques.

Qu'il suffise de donner simplement deux exemples de perceptions et d'affirmations erronées. Pour appuyer la thèse de l'unité canadienne, on soutient souvent sans rougir qu'un régime fédéral protège mieux les droits de la personne qu'un régime unitaire. D'un côté, on ne se demande pas pourquoi tant de fédérations, à commencer par l'ancienne URSS, le Nigeria, le Brésil, l'Argentine et la République populaire de Chine n'ont pas toujours bien respecté les droits de la personne. D'un autre côté, ce n'est pas très louangeur pour des pays comme la France, le Royaume-Uni, les Pays-Bas et les pays scandinaves, notamment l'Islande. Ce dernier est en effet un État unitaire très démocratique et très patriotique où fut établi, vers l'an 920 de notre ère, dans le cadre majestueux de Thingvellir, le premier parlement du monde occidental. Ce pays compte seulement 240 000 habitants qui, sans autres ressources naturelles que les produits de la mer, se sont donné un très haut niveau de vie ainsi que des milieux culturels, universitaires et des médias de qualité, tout en bâtissant une économie de services dans un pays isolé et aux conditions climatiques déroutantes, mais qui ne connaît ni un chômeur ni un analphabète et où les femmes ont atteint un niveau d'égalité avec les hommes, comme on le voit dans peu d'endroits sur la planète.

L'idée qu'il existerait une équation entre le fédéralisme et le respect automatique des droits de l'homme est non seulement inexacte mais surtout très dangereuse, car elle obscurcit davantage un débat canado-québécois déjà bien sombre. Ce n'est pas le contenant étatique, mais bien l'esprit et l'action des êtres, ainsi que les lois qui les animent, de même qu'un système judiciaire indépendant, éclairé et compétent qui assurent la promotion, la vitalité et la défense des droits de l'homme.

La démocratie n'est pas une simple affaire de formalisme — élections libres, multipartisme, parlement — mais bien un état d'esprit qui s'exprime dans tous les milieux depuis la famille jusqu'à l'église en passant par les milieux de travail, d'enseignement et de loisirs. Mais, par-dessus tout, la démocratie réside dans la séparation des pouvoirs et un exercice légitime et transparent de ceux-ci. Elle exige un système judiciaire intègre et efficace où le simple citoyen peut faire reconnaître ses droits contre des personnes, des organismes puissants, et même contre des instances publiques et l'État ou ses agents à commencer par la police, l'armée et les juges eux-mêmes.

En revanche, pour appuyer la thèse indépendantiste, on a pu, au lendemain des crises en Union soviétique, en Inde et en Yougoslavie, donner des interprétations saugrenues selon lesquelles le fédéralisme est partout en crise dans le monde, oubliant de parler de la Suisse, de l'Allemagne, de l'Autriche, des États-Unis et de l'Australie. Il existe près d'une vingtaine d'États fédéraux qui couvrent plus de la moitié de la superficie terrestre de la planète! Le syllogisme est bâti de la façon suivante: le fédéralisme est partout en crise; ainsi, le fédéralisme est un système vicié; donc, mieux vaut que le Québec se retire du système fédéral. En réalité, un fédéraliste et un indépendantiste de bonne foi ne peuvent que s'amuser mais aussi s'inquiéter devant de tels sophistes qui projettent en terre québécoise un monde qu'ils connaissent mal ou qu'ils utilisent malicieusement pour justifier leurs visions étatiques ou pour copier des arrangements structurels non susceptibles d'application au Québec et au Canada.

En fait, les réalités internationales ne les intéressent qu'en autant qu'ils y voient des situations qui servent leur cause respective. Ils ne voient pas les effets directs dans leur vie des nouvelles mutations mondiales aussi bien géostratégiques, économiques, scientifiques que philosophiques; ils n'hésitent pas à taxer de «déracinés» ou de «rêveurs» ceux qui le font, car ils ne s'imaginent pas qu'on puisse et doive faire obligatoirement des lectures nationales et mondiales pour saisir l'évolution et l'avenir de sa propre société.

De plus, ils s'interrogent rarement sur les finalités des sociétés, à savoir les exigences d'équité, de liberté, de respect des idées des autres, de responsabilité, de dialogue, de solidarité, de paix et de justice; ils soutiennent que ces valeurs sont implicites et même acquises, ce qui est évidemment une vision naïve des sociétés; naturellement, en évacuant ces éléments, ils veulent orienter le débat.

Pour eux, traiter de toute question d'éthique, de moralité publique et privée et de sociabilité, des nouveaux rapports entre le pouvoir, la science et le savoir, des mutations dans le rôle de l'État, de l'accélération du processus historique et technologique à l'échelon universel correspond à faire acte de naïveté, car la finalité principale n'est pas le bonheur des êtres et l'épanouissement des sociétés, mais le combat pour préserver l'État canadien ou pour établir l'État québécois: bref, le *droit à l'État* leur importe plus que l'*État de droit*. Non seulement l'État est, selon eux, le principal vecteur d'unité et porteur d'honneur, mais il est aussi la principale source et la dimension obligée de la dignité collective!

Une telle approche conjoncturelle et structurelle ne peut que dé-rationaliser une problématique dont les solutions doivent ménager aussi une large place à la rationalité. Mais pour eux, mieux vaut la lutte pour *la cause finale étatique et nationale* que la réflexion et l'action concernant la finalité des êtres, des sociétés et de l'humanité. Léonard de Vinci avait raison de souligner que: «Penser est facile, agir est difficile, mais agir selon sa pensée est ce qu'il y a au monde de plus difficile.» Mais est-ce trop espérer dans un enjeu où les passions sont reines et les intérêts, rois?

*Passion d'être politiquement soi-même* et *désir d'avoir économiquement les autres*? Est-ce spécifiquement vouloir profiter du meilleur des deux mondes, c'est-à-dire de l'être et de l'avoir? Est-ce chercher à avoir le beurre et l'argent du beurre? Pas nécessairement. S'agit-il d'être d'abord et d'avoir ensuite? ou d'avoir d'abord et d'être ensuite? ou les deux simultanément? Qu'en est-il exactement?

\* \* \*

*Passion d'être*, c'est, pour la plupart des Québécois francophones, la recherche patiente et acharnée en vue de sauvegarder et vivifier leur langue et leur culture dans un continent anglo-saxon; c'est le souci d'appartenance à une collectivité, un groupe ethnique, une société, un peuple, une communauté, une patrie, une nation, un milieu, un territoire, un environnement, un État où la culture et la langue françaises sont des éléments de vie et des raisons de survie. C'est la conscience d'une identité en quête constante de légitimité et de vitalité face à une précarité sociétale évidente en Amérique du Nord; c'est faire sien le droit des peuples à s'autodéterminer et à disposer d'eux-mêmes; c'est être perçu et reconnu comme étant spécifique, ce qui n'implique aucunement d'être supérieur ou inférieur aux autres; c'est bâtir un pays à soi dont on est fier et auquel on s'identifie spontanément; c'est croire avec Goethe que «le chef-d'œuvre de l'homme, c'est de durer» mais comprendre qu'il faut aussi être dur pour soi-même si l'on veut durer.

C'est définir son propre profil démocratique, politique et culturel; c'est une manière de s'affirmer dans le monde; c'est être attaché à ses origines françaises en n'étant pas de mentalité française et européenne; c'est être un Nord-Américain qui veut néanmoins éviter la minorisation et le glissement dans un grand ensemble nord-américain, inéluctable à longue échéance selon plusieurs démographes et observateurs; c'est chercher des atouts pour asseoir son développement économique et démocratique et s'assurer que les générations futures pourront travailler en français tout en s'ouvrant obligatoirement à d'autres langues, à commencer par l'anglais, et au reste du monde; c'est la fierté d'appartenir et de contribuer à la francophonie grandissante; c'est idéalement, et de façon un peu utopique, choisir son «mode de vie» et une certaine «qualité de vie» qui, de façon positive, équivaut à mettre l'accent sur le «small is beautiful».

C'est savoir que, par l'étendue de son territoire, le Québec occupe la septième place des États du monde, la 15e environ pour le revenu *per capita* et la 25e pour la production nationale brute (P.N.B.). C'est, avec sept millions d'habitants, se comparer à des pays industrialisés comme l'Autriche, la Suisse, la Norvège, les Pays-Bas, le Danemark, la Finlande et la Suède qui ont atteint un niveau de développement culturel et économique remarquable et un rôle international enviable.

C'est prendre conscience de son cheminement historique, de sa place comparative dans le monde en perdant son traditionnel complexe d'infériorité; c'est la sensation que l'on peut maîtriser la modernité, la science et la technologie, la social-démocratie. Bref, c'est vouloir être politiquement et culturellement soi-même et se donner une identité nationale et internationale.

\* \* \*

*Désir d'avoir*, pour les Québécois francophones, c'est disposer d'un milieu et des moyens de jouir d'un niveau de vie élevé; c'est accéder à la chambre des manettes du pouvoir économique et financier; c'est participer pleinement à la modernité, l'interdépendance et l'internationalisation; c'est, avec 25,5 pour 100 de la population du Canada, au début de la décennie 90, et 24,8 pour 100 de la main-d'œuvre, créer 22,6 pour 100 du produit intérieur brut du Canada (qui est d'environ 450 milliards de dollars); c'est continuer d'avoir accès aux richesses matérielles et intellectuelles; c'est comprendre que plus du quart de sa production intérieure doit être exportée à l'étranger pour conserver son niveau de vie et un emploi sur quatre; c'est se tourner spontanément vers le marché américain et en subir toutes les influences directes et indirectes par les échanges commerciaux, les investissements, les arts, la culture, les universités, les sports, les mouvements religieux et environnementalistes, la télévision, le cinéma ainsi que les plages du Maine, l'été, et celles de la Floride, l'hiver, sans trop s'intéresser à la politique interne des États-Unis.

C'est avoir, au Québec, trois des dix plus importantes institutions financières du Canada: la Caisse de dépôt et de placement du Québec, le Mouvement des Caisses Desjardins et la Banque Nationale du Canada pour un total d'actifs dépassant 120 milliards de dollars en 1991. C'est trouver au Québec les sièges sociaux de sept des vingt plus importantes sociétés canadiennes en terme de revenus bruts: Bell Company Enterprises Inc., Canadian Pacific Ltd., Provigo Inc., Hydro-Québec Inc., Imasco Ltd., Canadian Pacific Railway Co. et Air Canada, sans oublier que trois des plus grandes sociétés internationales au Canada sont établies à Montréal: Alcan Aluminium Ltd., Seagram Company Limited et Canada Safeway Ltd. C'est compter sur la force grandissante de Bombardier et de SNC-Lavalin et ne pas oublier que les cinq grands ports québécois manipulent 35 pour 100 de tous les cargos qui transitent au Canada, plus que dans n'importe quelle autre province.

C'est trouver au Québec des créneaux particuliers comme l'hydro-électricité, la biotechnologie, la pétrochimie, les insti-

tutions financières, le génie-conseil, l'informatique, l'aéro-
spatiale, les télécommunications, les transports, la production
agro-alimentaire, la foresterie et les papeteries, les industries
culturelles, hôtelières et touristiques, les nouveaux métaux, la
mode et le textile, l'environnement et d'autres spécialités dans
le secteur des services, pour être et demeurer productif et
compétitif à l'échelle mondiale.

C'est créer un système qui permette d'avoir des ouvertures aux grands marchés et une monnaie stable; c'est l'entrée
dans l'ère de l'économie quaternaire, de plus-value ou de
valeur ajoutée, avec la maîtrise des technologies de l'information et le souci de la qualité, lesquelles exigent une nouvelle synergie entre les acteurs politiques, économiques,
sociaux et éducationnels; c'est la recherche et l'affirmation
d'une nouvelle forme de compétence économique qui clame:
«big, American and universal are beautiful». Bref, c'est
l'intérêt d'avoir accès à de vastes ensembles économiques,
monétaires et technologiques pour assurer «sa prospérité».

Comportements contradictoires diront certains, attitudes
complémentaires remarqueront d'autres qui, pour le démontrer, s'appuient sur des sondages qui mettent en évidence
l'asymétrie des visions et des aspirations du Québec francophone et du Canada anglophone au-delà des intérêts économiques semblables.

Dans l'un de ces sondages, paru dans le quotidien *Le
Devoir* le 1er octobre 1991, au lendemain de la présentation
des propositions du gouvernement Mulroney pour réamé-
nager le système politique et économique du Canada, on
perçoit très bien l'ambivalence des sentiments des Québécois.
Ainsi, 67 pour 100 d'entre eux se disaient favorables à une
souveraineté-association qui ferait du Québec un pays souverain mais économiquement associé avec le reste du Canada.
Mais cette donnée tombait à 48 pour 100 si une telle indépendance politique impliquait qu'il n'y aurait pas de députés
québécois au Parlement fédéral, c'est-à-dire l'indépendance
totale du Québec. À la fin de 1991, un autre sondage confirmait que 60 pour 100 des Québécois étaient toujours en
faveur de la souveraineté et 40 pour 100 étaient contre,

c'est-à-dire exactement l'inverse des résultats du référendum de 1980. Au cours du premier semestre de 1992, les appuis en faveur de la souveraineté demeuraient autour de 50 pour 100, malgré la récession économique qui affectait gravement le Québec comme le reste du Canada. Il est évident que les sondages varieront encore aussi bien à la hausse qu'à la baisse sur la question de la souveraineté.

\* \* \*

Pour l'ensemble des Canadiens, *passion d'être*, c'est la fierté de participer au grand dessein d'une société ouverte, démocratique, bilingue et multiculturelle, distincte des États-Unis; c'est la conviction d'avoir établi sur le plan mondial un profil et une façon d'agir qui ont confirmé son originalité, sa mouture de «puissance moyenne», ses capacités de conciliateur, de modérateur ainsi que de leader dans des opérations pour le maintien de la paix. C'est son rôle d'acteur engagé dans le FMI, le Gatt, la Banque mondiale, l'OCDE et surtout la famille de l'ONU, ainsi qu'au sein des enceintes internationales qui rejoignent maintenant toutes les régions du monde, depuis le Commonwealth jusqu'à la Francophonie, en passant par l'Organisation des États Américains, une action plus directe dans la vaste région de l'Asie Pacifique et un nouveau rôle dans une Europe en voie de mutation. C'est la fierté d'être membre du «Groupe des sept» pays les plus puissants économiquement du monde occidental.

C'est l'engagement dans le tiers monde et dans tous les grands dossiers qui préoccupent la planète, depuis l'environnement jusqu'au développement international et la promotion des droits de l'homme. C'est le souci de mettre en place un État fédéral plus compatissant et bienfaisant et normalement plus interventionniste que celui qui existe au sud du 48e parallèle.

C'est prôner, autour de nouveaux symboles — le drapeau unifolié depuis 1965, l'hymne national «Ô Canada» adopté en 1967 — et d'institutions politiques plus anciennes, des valeurs liées à la tolérance et à la diversité; c'est assurer autour des principes de «paix, ordre et bon gouvernement» la pérennité de la construction de ce vaste pays qui voudrait accorder une chance à tous sans tenir compte des classes sociales; c'est continuer le processus d'affirmation politique et culturelle et de développement économique et scientifique du Canada «d'un océan à l'autre» et à l'étranger.

C'est la nécessité d'avoir un gouvernement central suffisamment fort, non seulement pour des raisons économiques, monétaires, stratégiques, technologiques, pour la conduite des relations extérieures et la participation aux grands organismes et programmes internationaux, mais aussi pour assurer à tous des standards minima, une mobilité et une cohérence en matière de santé, d'éducation, d'environnement, de redistribution des richesses par la péréquation, de culture, de travail, de droits humains, d'immigration et d'accueil aux réfugiés ainsi que de lutte contre de nouveaux fléaux comme le terrorisme et le sida; c'est être perçu comme Nord-Américain sans être Américain.

C'est chercher souvent à faire reconnaître l'idée du «Canadien sans trait d'union», sans se demander quelle langue — car c'est implicitement l'anglais — parle ce citoyen non hybride. C'est compter sur le Québec pour assurer le caractère distinct du Canada par rapport aux États-Unis. C'est éviter à tout prix de favoriser une décentralisation qui paraîtrait «avantager» uniquement le Québec. La stratégie d'Ottawa, par conséquent, est donc d'offrir à toutes les provinces un type de décentralisation dont seul le Québec est «demandeur» et pourrait se prévaloir dans la plupart des domaines, à l'exception de la réforme du Sénat.

Ainsi, si la majorité des Canadiens anglais, reconnaissent l'importance du fait français au Québec, 92 pour 100 d'entre eux, selon un sondage Gallup de février 1992, n'acceptent pas d'accorder des pouvoirs constitutionnels distincts à la «belle province» car, pour la plupart d'entre eux, ceci constituerait un accroc intolérable au principe de l'égalité des provinces et créerait des citoyens ayant des «droits supérieurs», car on oppose le mot «distinctive Quebeckers» à «ordinary Canadians», ce qui est inacceptable. Les Québécois seraient «distingués» et les Canadiens seraient «ordinaires». Compris dans un tel sens, il s'agit inévitablement d'un traitement de faveur accordé à une partie de la population. Or, la réalité est tout autre.

Des analyses percutantes représentant les convictions d'une partie de l'intelligentsia anglophone ont été réunies par L. Granatstein et K. McNaught, sous le titre: *English Canada Speaks Out* (Doubleday, 1991). Cet ouvrage, à la fois ouvert et fort critique à l'endroit du Québec, met en lumière l'asymétrie, non seulement des passions mais, de plus en plus, des visions du ROC (Rest of Canada) par rapport à celles du Québec francophone que plusieurs analysent sommairement. Ainsi, s'il est vrai que les Québécois francophones attachent beaucoup d'importance aux droits collectifs, car c'est la seule façon de vivifier leur langue et leur culture, ils attachent autant d'importance aujourd'hui aux droits individuels. La démocratie existe aussi bien au Québec qu'en Ontario! Ces études passionnées diffèrent singulièrement des analyses beaucoup plus pratiques et raisonnées qu'on peut lire dans *Options for a New Canada* (University of Toronto Press, 1991) colligées sous la direction de R.L. Watts et D.M. Brown.

Influencés par le système américain, un grand nombre de Canadiens anglais, notamment dans les Maritimes et dans l'Ouest, réclament la mise en place d'un sénat, à Ottawa, avec plus de pouvoirs que la Chambre haute actuelle et un nombre égal d'élus pour chaque province, peu importe sa population. Un tel sénat triple E (effective, equal, elected) est évidemment inacceptable au Québec qui se trouverait encore plus minoritaire qu'il ne l'est dans le présent Sénat — qu'il apprécie peu d'ailleurs, et dont les membres ne sont pas élus, mais choisis par le Premier ministre canadien.

Les Québécois qui, selon la Constitution actuelle, peuvent compter sur un quart des sénateurs, semblent favorables (environ 55 pour 100 d'entre eux, selon un sondage de 1991) à une réforme du Sénat, mais pas à des changements qui «minoriseraient» leur situation. Le Québec accepterait peut-être éventuellement son abolition pure et simple ou un sénat fondé sur une «représentation équitable», c'est-à-dire une Chambre haute dans laquelle les quatre grandes régions du Canada auraient un nombre égal de sénateurs et où les principaux groupes, notamment les femmes, les minorités et les autochtones seraient assurés d'une participation. Comme l'Ontario est aussi opposé à un sénat triple E, qui aurait, en pratique, des pouvoirs importants, comme l'exige mordicus l'Alberta, ce débat sur la réforme du Sénat risque de tourner au vinaigre après avoir tourné en rond pendant des décennies! Le Sénat risque de devenir une monnaie d'échange dans les négociations constitutionnelles et de soulever de nombreuses dissensions, à moins que l'on arrive à s'entendre sur un sénat élu, égal mais non efficace, c'est-à-dire une Chambre haute «décorative». On risque aussi de conserver le Sénat exactement tel qu'il est.

* * *

Même si, d'une part, près de 90 pour 100 des Canadiens, et un peu plus de 70 pour 100 de Québécois, se disent fiers de leur nationalité, selon un sondage publié en décembre 1991, même si l'ensemble des francophones et des anglophones sont fiers de plusieurs de leurs institutions nationales telles que la Société Radio-Canada, l'Office national du film, le Conseil des Arts, les Musées nationaux et, à un titre déclinant en certains milieux, de la Gendarmerie royale, des Forces armées canadiennes, du Canadien National et de la Société Air Canada, — ces deux dernières sociétés connaissent aujourd'hui de sérieux problèmes — d'autre part, la quête de l'identité, d'une conscience et d'une appartenance typiquement canadiennes d'un océan «aux autres» est soumise en même temps à de nombreuses pressions.

Celles-ci émanent à la fois du Québec, des tensions entre francophones et anglophones, de l'influence grandissante des

États-Unis d'Amérique, notamment depuis la mise en œuvre, en 1989, de l'Accord sur le libre-échange entre les deux pays, du rôle croissant des provinces jalouses de leurs intérêts, de l'aliénation de l'Ouest et des états d'âmes des Maritimes, des exigences de nombreux groupes ethniques venus s'établir au Canada et, de plus en plus, des revendications des nations autochtones, c'est-à-dire des Inuit (environ trente mille), des Métis (environ trois cent mille — ce chiffre est contesté car les Métis sont souvent recensés sous deux identités) et surtout du demi-million d'Amérindiens, répartis sur plus de deux mille trois cents réserves, où vivent près de six cents bandes ayant cinquante-trois langues différentes, dont certaines sont aussi éloignées l'une de l'autre que le français et l'anglais, et que certains leaders autochtones veulent faire reconnaître officiellement dans la Constitution au même titre que les deux langues officielles. Un autre demi-million d'Amérindiens vivent hors des réserves. Ces quatre groupes distincts ont chacun leur leader et forment ensemble l'Assemblée des Premières nations, dirigée par un Chef national.

Enfin, le Yukon et les Territoires du Nord-Ouest, malgré une très faible population — trente mille personnes dans le premier cas et cinquante-cinq mille dans le second — veulent obtenir le statut de province avec les mêmes pouvoirs que les dix autres. Leurs chefs de gouvernement — une Amérindienne occupe ce poste dans les Territoires du Nord-Ouest — sont maintenant invités à certaines conférences fédérales-provinciales, de même que les Premières nations, depuis mars 1992, pour les réunions à caractère constitutionnel.

Le Canada connaît donc de plus en plus de difficultés à définir et à affirmer son *état d'être* avec des passions différentes qui minent une passion commune. Un si grand territoire a formé plusieurs mémoires régionales, et pas suffisamment de mémoire collective. On aime à répéter que la politique est une maladie dans les provinces maritimes, une religion au Québec, une «business» en Ontario, une protestation dans les Prairies et un loisir en Colombie-Britannique... Ceci n'explique peut-être pas la recherche si difficile d'une identité pancanadienne, mais l'histoire démontre que le

Canada a toujours été un État en voie de définition. Le Canada est loin d'être un cas isolé à ce chapitre. D'ailleurs, la multiethnicité est davantage la règle que l'exception dans la plupart des États contemporains; moins de quinze États, sur près de deux cents, sont homogènes sur le plan culturel.

La «passion d'être du Canada tout entier» est manifeste lors des Jeux olympiques et d'autres événements sportifs. Mais rares sont les autres occasions, à l'échelon interne, qui soulèvent un patriotisme national commun et un vaste consensus politique. Les raisons de fierté sont nombreuses, mais elles ne sont pas nécessairement les mêmes pour l'ensemble des Canadiens lorsqu'ils sont au pays. C'est différent lorsqu'ils sont à l'étranger. C'est souvent là que les Canadiens, quelle que soit leur langue, se retrouvent et découvrent un même sentiment de fierté nationale. Cependant, la crise interne a rendu plus difficile l'idée d'un vouloir-vivre collectif centré autour d'un seul dessein, car on voudrait, en certains milieux, développer des nationalismes englobants qui ne trouvent pas d'assises profondes à la fois au Canada anglais et au Québec. Bien d'autres États connaissent des situations analogues, car, en pratique, le patriotisme n'est plus fondé sur une culture unique, mais bien sur un nouvel «ethos» plus pratique qu'émotionnel. L'ethos constitue de plus en plus l'ensemble des caractères communs à un groupe d'individus appartenant à une même société.

* * *

*Le désir d'avoir,* pour les Canadiens, c'est le défi, non seulement de posséder ce grand territoire, le deuxième plus grand en superficie après la Fédération de Russie, mais aussi de demeurer, avec à peine vingt-sept millions d'habitants, la septième puissance économique du monde occidental, de maintenir son haut niveau de vie, de développer partout, sans oublier les régions nordiques, ses immenses richesses forestières, hydrauliques, énergétiques, minières, agricoles, marines et sous-marines; c'est avoir le sentiment de vivre dans un pays de grands espaces et de saisons bien contrastées où l'hiver et la vie «avec» la nature, l'eau, la forêt occupent une place importante dans l'imaginaire tout comme dans la réalité; c'est bâtir des infrastructures gigantesques qui défient souvent l'imagination, y compris au Québec, lequel constitue, avec l'Ontario, le centre principal de l'industrialisation et des services canadiens.

C'est aussi le désir de voir le Québec intégré à l'ensemble du Canada; c'est éviter à tout prix l'isolement des provinces maritimes et des anglophones du Québec; c'est le désir de voir suffisamment de Québécois à Ottawa — comme c'est le cas, au début des années 1990, avec le Premier ministre Brian Mulroney et le chef de l'Opposition officielle, Jean Chrétien, disciple de Pierre Elliott Trudeau.

C'est le désir de tout faire pour éviter, en cas de sécession du Québec, un contentieux aux facettes innombrables qui risque de perdurer pendant des générations. La simple pensée d'établir une frontière entre Ottawa et Hull, de perdre le contrôle de la voie maritime du Saint-Laurent, de devoir se départir du territoire québécois de la Commission de la capitale nationale, des bases militaires, des parcs nationaux, des ports, des aéroports, des chemins de fer, des immeubles fédéraux au Québec, à commencer par le musée canadien des Civilisations, de certaines sociétés de la Couronne, et de partager les actifs et les dettes, est source d'effroi et de désarroi pour la très grande majorité des Canadiens — à l'exception de quelques groupes, dans l'Ouest, qui souhaitent le départ du Québec — et de nombreux Québécois.

Bien qu'il ne faille pas nécessairement se fier aux sondages — car ils peuvent rapidement changer — il était évident, au début de la décennie 90, que l'ensemble des Canadiens anglophones n'étaient pas prêts à accepter des changements constitutionnels majeurs pour accommoder le Québec. C'est ce qui explique l'impasse constitutionnelle, mais seulement en partie. Un sondage très révélateur sur le comportement du Canada anglais a été publié, en mars 1991, dans la revue *L'actualité*. Voici quelques-unes des questions posées:

• Imaginez que le Québec demande des pouvoirs additionnels et une réforme de la fédération sans quoi il deviendra indépendant dans dix ans. Le Canada devra-t-il négocier pour satisfaire les demandes du Québec?

| | |
|---|---|
| . opposés | 65% |
| . favorables | 26% |
| . ne savent pas/ne se prononcent pas | 10% |

• Plusieurs propositions de nouvelles structures fédérales sont proposées, laquelle préférez-vous?

| | |
|---|---|
| . un Canada plus centralisé | 17% |
| . un Canada plus centralisé mais avec un sénat élu par région | 43% |
| . le statu quo | 11% |
| . un Canada décentralisé en quatre ou cinq régions et qui satisferait le Québec | 18% |
| . ne savent pas/ne se prononcent pas | 11% |

• Une majorité de Québécois pense que des pouvoirs additionnels devraient être accordés au gouvernement de leur province. Pensez-vous que:

| | |
|---|---|
| . le Canada pourrait s'adapter à cette situation | 19% |
| . des pouvoirs additionnels pour le Québec sont contraires à la nature même du Canada | 75% |
| . ne savent pas/ne se prononcent pas | 6% |

• Si le Québec décidait, par référendum, de devenir souverain, le Canada devrait-il pour s'y opposer, utiliser:

| | |
|---|---|
| . la force militaire | 7% |
| . des pressions économiques | 28% |
| . ne rien faire | 57% |

• Imaginez que le refus de s'associer avec le nouveau Québec entraînerait des difficultés économiques pour le Canada. Dans ce cas, le Canada devrait-il:

| | |
|---|---|
| . s'associer avec le Québec | 66% |
| . refuser de s'associer | 21% |

• Si le Québec décidait de devenir souverain, qui devrait négocier au nom du Canada?

. tous les premiers ministres provinciaux et fédéral — 33% 55%

. tous les premiers ministres provinciaux — 22%

. un gouvernement fédéral nouvellement élu — 18% 34%

. l'actuel gouvernement fédéral — 16%

• Enfin, si le Québec devenait indépendant, pensez-vous que votre région devrait:

|  | Atlantique | Ontario | Prairies | C.-B. | Totaux |
|---|---|---|---|---|---|
| . rester au Canada | 89% | 94% | 91% | 87% | 86% |
| . devenir indépendante | 2% | 9% | 4% | 4% | 6% |
| . se joindre aux États-Unis | 6% | 2% | 3% | 7% | 4% |

Ces réponses, confirmées et même renforcées par un sondage Gallup de février 1992, sont révélatrices. Elles devraient surtout détruire les mythes — mais en vain — que l'on entretient de part et d'autre sur les intentions des principaux intéressés, c'est-à-dire la population tout entière, de même que sur la validité ou la futilité de trop de projets qui émanent de toutes parts mais qui, pour la plupart, ne mènent nulle part. En effet, les «passions d'être» et les visions du Canada anglophone et du Québec francophone sont devenues asymétriques et l'on n'arrive pas à transposer cette asymétrie dans une réforme constitutionnelle.

Pourquoi et comment en est-on arrivé à croire que le Canada anglais et le Québec francophone ne sont pas faits pour le même chemin ou à suggérer, comme l'a fait le journaliste Michel Vastel dans la conclusion de son volume sur le Premier ministre Bourassa, que «tous se préparent à la souveraineté du Québec, sauf le gouvernement du Québec», et comme le démontrent Édouard Cloutier, Jean H. Guay et Daniel Latouche dans leur ouvrage, *Le virage, l'évolution de l'opinion publique au Québec depuis 1960 ou comment le Québec est devenu souverainiste* (Québec Amérique, 1992)? C'est ce à quoi le chapitre suivant tentera de répondre, en passant du stade des visions et des émotions nationales à celui de l'appréhension des principales étapes de l'évolution constitutionnelle et à celui de l'examen de toute une panoplie de projets de réformes, conçus soit en fonction du pouvoir et du nationalisme, soit en fonction du savoir et de l'endo-généité.

# CHAPITRE II

# L'ÉVOLUTION ET LES DIMENSIONS
# DES RÉFORMES CONSTITUTIONNELLES:
## le stade des appréhensions
## et des conceptions du pouvoir et du savoir

Il est difficile d'imaginer que dans un État où les valeurs démocratiques sont aussi bien institutionnalisées qu'au Québec et au Canada — surtout depuis l'adoption de la *Charte des droits et libertés de la personne* du Québec, en 1975, et de la *Charte canadienne des droits et libertés*, en 1982 — on n'ait pas adopté une pratique où la population tout entière serait appelée à entériner les réformes constitutionnelles. Hormis les élections qui doivent avoir lieu au moins tous les cinq ans — mais en pratique, c'est généralement plus souvent — on a tenu seulement deux fois une consultation populaire à l'échelon de tout le Canada: lors des plébiscites sur la prohibition de l'alcool, en 1898, et sur la conscription en 1942, et deux fois au Québec, en 1919, lorsque les citoyens se sont prononcés contre la prohibition dans la province et, en 1980, lors du référendum sur le projet de souveraineté-association. Terre-Neuve, de son côté, a tenu deux référendums pour décider de son entrée dans la fédération, en 1949. Il n'est pas impensable qu'en cas d'un nouveau cul-de-sac constitutionnel, le gouvernement fédéral opte pour la tenue d'un référendum ou d'un plébiscite à caractère constitutionnel. Les provinces peuvent le faire aussi individuellement.

En fait, toutes les provinces, sauf le Nouveau-Brunswick, ont déjà organisé des référendums sur des questions comme l'adoption de l'heure avancée ou le droit de vote des femmes.

En effet, le Canada a vécu une évolution constitutionnelle fort singulière. Tous les régimes politiques qu'a connus le Canada ont été établis sans approbation populaire. Ce fut d'abord le cas de l'établissement, en 1608, du système monarchique en Nouvelle-France, où les pouvoirs étaient exercés par un gouverneur qui s'occupait, au nom du roi de France, surtout de la défense et des relations étrangères, par un intendant qui veillait, à partir de 1665, aux affaires économiques, notamment à la traite des fourrures, ainsi que par l'évêque qui avait la responsabilité des questions religieuses.

Peu après la conquête de la Nouvelle France, en 1759-1760, par l'Angleterre, et le régime militaire qui a suivi, *le Traité de Paris* et *la Proclamation royale* établirent, en 1763, un autre régime royal, avec un gouverneur britannique cette fois; ils permettaient aux 60 000 Français du Canada de pratiquer la religion catholique mais à la condition, selon l'article 29, de prêter le serment d'allégeance au roi d'Angleterre et d'adhérer à la déclaration d'abjuration sous peine d'expulsion. Ils créèrent aussi le cadre général des rapports avec les nations amérindiennes.

L'*Acte de Québec* de 1774 permit l'usage du français et la pratique de la religion catholique au Québec. Il prévoyait aussi des dispositions qui s'appliquaient à d'ex-territoires français en Amérique du Nord; ceci aliéna les colons installés en Nouvelle-Angleterre qui tentèrent en vain, en 1775, de s'emparer du Canada. L'Acte de Québec établit aussi un Conseil législatif composé de membres nommés par le gouverneur plutôt qu'une assemblée élue. On y prévoyait que le droit pénal britannique aurait force de loi. En revanche, il fut reconnu que les habitants pourraient conserver la possession et la jouissance de leurs propriétés et de leurs biens avec les coutumes et usages qui s'y rattachaient et l'exercice de tous leurs autres droits civils. C'était en fait la reconnaissance du droit civil d'inspiration française, le tout pour calmer les «habitants de la province de Québec» et pour les inciter à ne pas appuyer la révolte qui grondait au sud contre l'Angleterre. Ce fut le début d'une reconnaissance du «statut de société distincte».

Sous la poussée des «loyalistes américains», venus s'établir au Canada pour demeurer fidèles à la Couronne d'Angleterre après le déclenchement de la Révolution américaine, le Parlement de Londres vota l'*Acte constitutionnel* de 1791, lequel donna naissance au Bas-Canada (le Québec) et au Haut-Canada (l'Ontario); chaque province obtint, à côté du gouverneur et du Conseil législatif, sa propre législature élue, apte à légiférer en matière «de paix, d'ordre et de bon gouvernement», établissant ainsi une forme de «souveraineté-association», sous tutelle britannique. Mais «l'exécutif» n'était pas encore responsable devant le «législatif». Il le devint en 1848.

L'*Acte d'Union* de 1840, venant après la rébellion des Patriotes de 1837 et à la suite du célèbre rapport Durham de 1839, imposa, sans approbation populaire, la réunion du Haut-Canada et du Bas-Canada en un *Canada Uni*, officiellement unilingue, avec une seule législature qui comptait cependant un nombre égal de députés pour le Canada-Est, démographiquement plus nombreux et francophone, et le Canada-Ouest qui avait une population plus faible et anglophone. Même si la langue française retrouva son statut officiel à la législature, en 1848, les francophones y virent une tentative évidente d'assimilation et l'établissement d'un système qui allait perdurer à beaucoup d'endroits, pendant des générations, c'est-à-dire jusqu'au début des années 1960. Là où ils étaient minoritaires, les anglophones exigèrent l'égalité linguistique, mais dès qu'ils devinrent majoritaires, ils établirent l'unilinguisme officiel aux paliers provincial, territorial et municipal, presque partout hors du Québec et du Parlement fédéral. L'élimination des écoles confessionnelles françaises au Nouveau-Brunswick en 1871, au Manitoba en 1893 et en Ontario en 1917 eurent des conséquences tragiques pour les Canadiens français de ces provinces, pendant plusieurs générations, car elles jetèrent les bases de l'assimilation.

De nombreux motifs allaient conduire, en 1867, à la création de la fédération actuelle. Il est important de rappeler ces différentes causes qu'on a trop tendance à oublier ou à marginaliser, de part et d'autre, car les théories sur les origines du «pacte confédératif» ou de l'entente fédérative, souhaitée par les Canadiens ou imposée par les Britanniques, fascinent et divisent encore aujourd'hui. D'abord, l'insatisfaction généralisée des Canadiens français dans ce régime unifié, de même que l'installation d'un gouvernement responsable et l'acquisition de l'autonomie interne en 1848, avaient fait croître les critiques à l'endroit du régime dirigé par Londres. La multiplication des problèmes économiques, le souci de consolider les dettes des colonies et le besoin de construire un chemin de fer d'un océan à l'autre, sont d'autres motifs importants. La guerre civile américaine, de 1861 à 1865, et les craintes de voir les républicains du Nord, vainqueurs, se retourner militairement vers un Canada divisé ou de favoriser un peuplement américain des grandes terres de l'Ouest canadien incitèrent Londres à favoriser un regroupement du Canada avec les colonies maritimes — à l'exception de Terre-Neuve qui devint la dixième province canadienne, en 1949, après non pas un, mais bien deux référendums aux résultats fort serrés, le premier ayant été négatif.

Tous ces facteurs et d'autres à caractère politique et partisan devaient contribuer à la création, en 1867, d'une grande fédération, établie par une simple loi votée par le Parlement du Royaume-Uni, certes après des conférences préparatoires à Charlottetown et à Québec, en 1864, au cours desquelles les Pères de la Confédération, notamment Georges Étienne Cartier, George Brown, H. Langevin, A.T. Galtt, T. D'Arcy McGee, W. McDougall et surtout John A. MacDonald, qui fut Premier ministre du Canada de 1867 à 1873 et de 1878 à 1891, établirent les 72 résolutions qui, trois ans plus tard, devaient servir de canevas pour la loi britannique qui créa la nouvelle fédération du Canada.

Ce fut «*The British North American Act*» qui établit à la fois le régime politique et la division des pouvoirs entre

Ottawa et les provinces. Ces dispositions constitutionnelles existent toujours même si des coutumes, des pratiques et des «traditions» en ont sensiblement modifié le fonctionnement, à commencer par le rôle du gouverneur général et du Premier ministre. Cette loi britannique ne fut jamais soumise à l'approbation populaire, au Canada, si ce n'est qu'elle fut entérinée par la pratique, lors des élections suivantes. Elle eut pour effet d'accorder aux Canadiens français un «foyer national», où ils formaient une majorité politique. D'ailleurs, c'est au Québec que les Canadiens français purent faire valoir leur «patriotisme canadien», notamment lors de la pendaison de Riel, en 1885, de la crise des écoles du Manitoba de 1890 à 1899, de la guerre des Boers en 1899, de la crise de la marine impériale en 1910, de la conscription en 1917 et des émeutes de Québec en 1918, pendant cette période.

La *Conférence impériale de 1930* et surtout le *Statut de Westminster de 1931* confirmèrent la souveraineté externe d'Ottawa et mirent fin en très grande partie à l'application de la législation britannique en terre canadienne. Même si l'Acte de l'Amérique du Nord britannique de 1867 demeura la source écrite la plus importante du corpus constitutionnel, il faut en ajouter plusieurs autres. Il s'agit surtout de nombreuses lois, notamment de celles qui créèrent de nouvelles provinces, en fixèrent les frontières ou entraînèrent leur entrée dans la fédération (le Manitoba, en 1870, la Colombie-Britannique, en 1871, l'Île-du-Prince-Édouard, en 1873, l'Alberta et la Saskatchewan, en 1905), de traités internationaux importants, de décisions judiciaires majeures du Conseil privé de Londres jusqu'en 1949 et de la Cour suprême du Canada, depuis son établissement en 1875. La Constitution compte aussi des sources non écrites, principalement des coutumes et des traditions — par exemple, le rôle primordial du Premier ministre et de son cabinet, la solidarité et la responsabilité ministérielles, le rôle des partis politiques et des conférences fédérales-provinciales. Mais, aux yeux de la majorité des gens, l'AANB (Acte de l'Amérique du Nord britannique) a toujours occupé une place primordiale, car c'est la source du système parlementaire de type britannique, des principales institutions et de la répartition des compétences entre Ottawa et les provinces.

Or, il s'agissait d'une loi «étrangère» qui ne prévoyait ni charte des droits, ni processus d'amendement. Ces trois failles majeures ont été, par la suite, des motifs de maintes difficultés et ont obligé, afin de les corriger, la tenue de nombreuses conférences fédérales-provinciales en 1927, 1936, 1950, 1964, 1971, 1979 et finalement, en 1981, lorsque le *groupe des huit* — Ottawa et sept provinces — sans la participation des représentants du gouvernement souverainiste de René Lévesque, s'entendit sur des modalités qui permirent au gouvernement Trudeau de «rapatrier», entièrement et sans l'accord du Québec, la Constitution au Canada en dépit d'une réserve de la Cour suprême du Canada sous forme d'un avis ne portant pas sur la légalité mais bien sur la légitimité d'une telle démarche, ce qu'a toujours contesté Pierre Elliott Trudeau, sous prétexte que tous les députés fédéraux du Québec y étaient pleinement favorables. Ce «rapatriement constitutionnel» signifiait que le recours au Parlement de Londres n'était plus obligatoire pour amender certaines dispositions de l'AANB, libellé, depuis 1982, comme la «Constitution du Canada».

Le Premier ministre Trudeau réussit à faire inclure dans cette nouvelle Constitution du Canada une Charte des droits et libertés, confirmant, entre autres choses, la protection constitutionnelle de la langue française et de la langue anglaise et une formule d'amendement fondée sur l'accord d'Ottawa et de sept provinces comprenant plus de la moitié de la population du Canada pour certains domaines et l'unanimité pour d'autres, à commencer par la réforme des institutions et de la Charte elle-même. Le Québec n'a pas donné son approbation à cette démarche et a refusé d'adhérer à la Constitution du Canada de 1982, créant ainsi un vacuum constitutionnel très singulier.

Il faut rappeler qu'en 1971, lors de la Conférence de Victoria, Ottawa et les provinces avaient réussi à mettre au point une formule qui était acceptable au Québec car elle lui accordait, à toute fin pratique, un droit de veto en matière d'amendement constitutionnel. Cependant, l'accord global avorta pour deux raisons. D'abord, parce que le Premier ministre Trudeau insista pour que le «package deal», c'est-à-dire l'ensemble des différentes décisions prises lors de la Conférence, soit reçu tel quel et globalement, sans qu'on puisse accepter ou refuser individuellement une de celles-ci, car c'était en fait ouvrir la porte à une parcellisation de la Charte, selon le bon vouloir de l'une ou l'autre des provinces.

Mais la raison principale fut que le Québec, frustré du peu de progrès survenu lors de toutes les conférences constitutionnelles, de 1967 à 1970, à la suite des recommandations de la Commission sur le bilinguisme et le biculturalisme, avait souhaité faire reconnaître le principe de la primauté des provinces en matière de politique sociale, ce qu'Ottawa et les provinces anglophones n'étaient pas disposés à accepter. Après huit jours de réflexion à la suite de la Conférence, Robert Bourassa, avec l'appui de tous les partis à l'Assemblée nationale, refusa le projet de Charte.

Deux ans plus tard, en 1973, Robert Bourassa fut réélu aux élections provinciales, au cours desquelles l'opposition souverainiste fit des gains dans l'opinion publique malgré le nombre limité de sièges qu'elle obtint à l'Assemblée nationale, compte tenu du système électoral uninominal et majoritaire à un tour qui existe aussi bien au Québec que partout ailleurs au Canada. Ce système allait favoriser le Parti québécois lors des élections suivantes.

Le Parti québécois prit en effet le pouvoir en 1976, et proclama, l'année suivante, la Charte de la langue française, par l'adoption de la Loi 101; celle-ci élargissait considérablement la portée de la Loi 22, adoptée en 1973 par le gouvernement Bourassa qui avait fait du français la langue officielle du Québec. Le P.Q. attendit plus de trois ans avant de poser une question fort complexe, lors du référendum, le 20 mai 1980:

Le gouvernement du Québec a fait connaître sa proposition d'en arriver, avec le reste du Canada, à une nouvelle entente fondée sur le principe de l'égalité des peuples.

Cette entente permettrait au Québec d'acquérir le pouvoir exclusif de faire ses lois, de percevoir ses impôts et d'établir ses relations extérieures — ce qui est la souveraineté — et en même temps de maintenir avec le Canada une association économique comportant l'utilisation de la même monnaie.

Tout changement de statut résultant de ces négociations sera soumis à la population par référendum.

En conséquence, accordez-vous au gouvernement du Québec le mandat de négocier l'entente proposée entre le Québec et le Canada?

Les partisans du «non» à l'indépendance du Québec remportèrent 60 pour 100 des votes. Le Premier ministre du Canada, Pierre Elliott Trudeau, et son ministre de la Justice, Jean Chrétien, responsable des troupes fédérales durant la campagne référendaire, avaient pris l'engagement solennel de procéder à des changements profonds qui répondraient aux aspirations des Québécois si ces derniers votaient «non» à un Québec souverain et «oui» à un fédéralisme renouvelé.

Les négociations reprirent donc après la réélection surprise du Parti québécois, en 1981, démontrant ainsi l'ambivalence des Québécois qui, après avoir refusé l'option souverainiste lors du référendum, reportèrent au pouvoir le Parti québécois qui avait soutenu ce projet. C'est ce qui incita un humoriste populaire, Yvon Deschamps, à souligner que ce que désiraient vraiment les Québécois était: «Un Québec indépendant dans un Canada uni...»

Les circonstances de l'accord sur le rapatriement de la Constitution, qui firent l'objet, comme on l'a vu, d'un avis de la Cour suprême du Canada et de derniers débats au Parlement de Londres, seront sans doute le sujet de nombreux projets de recherche et de travaux approfondis par les historiens du XXIe siècle. Les opinions sur le sujet sont fort controversées. Selon les uns, il est évident que le gouvernement de René Lévesque ne voulait pas d'un accord, car «seule la séparation l'intéressait fondamentalement». Selon d'autres, Ottawa et les sept provinces laissèrent tomber lâchement le Québec.

Cependant, trois choses sont certaines. Premièrement, le gouvernement de René Lévesque abandonna le droit de veto, qui lui avait été proposé à nouveau, en échange de compensations financières qu'obtiendrait le Québec, en se retirant de programmes conjoints. Deuxièmement, quelles que soient les interprétations contradictoires au sujet de «la nuit des longs couteaux», ces péripéties eurent pour effet de pousser le Québec à rester en dehors du nouveau giron constitutionnel canadien. Ceci n'empêcha pas — autre paradoxe — René Lévesque de convaincre ses troupes, après la victoire de Brian Mulroney, en 1984, de tenter «le beau risque du fédéralisme» au grand dépit des «indépendantistes purs et durs» qui claquèrent la porte du Parti québécois pour y revenir en force, quelques années plus tard, après le décès de René Lévesque, en novembre 1987.

Enfin, tous ceux qui s'étaient entendus en catimini, en 1981, pour rapatrier la Constitution furent les mêmes qui rejetèrent à grands cris l'Accord du lac Meech parce que, entre autres choses, cette entente n'avait pas été négociée publiquement!

Peu après le rapatriement de la Constitution, les deux grandes figures charismatiques du conflit canado-québécois, Pierre Elliott Trudeau et René Lévesque, prirent leur retraite et furent remplacés, en 1984 et 1985 respectivement, par John Turner, à Ottawa, et Pierre-Marc Johnson, à Québec. Ces derniers allaient, quelques mois plus tard, être défaits aux élections fédérales et québécoises.

En prenant le pouvoir à Ottawa, en septembre 1984, Brian Mulroney, le nouveau leader du Parti conservateur fédéral qui avait réussi à supplanter Joe Clark — dont le gouvernement avait interrompu le régime Trudeau pendant neuf mois, en 1979-1980 — prit l'engagement solennel de faire adhérer le Québec à la nouvelle Constitution, «dans l'honneur et dans l'enthousiasme».

Face à lui, il devait trouver au Québec, Robert Bourassa, «le revenant», reporté au pouvoir en 1985, après avoir été défait par René Lévesque, en 1976. Bourassa s'engagea d'abord à accepter la Charte canadienne des droits et libertés. De concert avec son ministre Gil Rémillard, responsable du dossier constitutionnel, il réduisit ensuite de vingt-deux à cinq les conditions posées par le Québec pour adhérer à la Constitution de 1982. De plus, il accepta de renouer le dialogue avec Ottawa, ce qui facilita la conclusion de nombreuses ententes fédérales-provinciales, à la fois sur des questions internes et internationales, surtout dans le cadre de la francophonie, comme l'avait fait Pierre-Marc Johnson. Le succès du Sommet des chefs d'État de la Francophonie à Québec, à l'automne 1987, en est une preuve éloquente.

Les négociations fédérales-provinciales connurent un nouvel esprit et un nouvel élan, malgré les désaccords sur la Constitution. Pour des motifs que seul l'Éternel comprend sans doute, l'imprévisible allait se produire. Au moment où l'on ne s'y attendait pas du tout, dans la nuit du 30 avril 1987, le premier ministre Mulroney et les Premiers ministres des dix provinces, réunis dans une résidence officielle située sur les bords du lac Meech, du côté du Québec, tout près d'Ottawa, tombèrent d'accord sur un texte qui satisfaisait le gouvernement Bourassa. Cette entente, revue par des experts constitutionnels, fut signée à Ottawa, le 3 juin 1987. Elle devait être ratifiée par le Parlement fédéral et celui de chacune des dix provinces dans un délai de trois ans.

L'Accord du lac Meech devint rapidement «le monstre honni» des uns et «la perle rare» des autres. En plus de reconnaître le caractère distinct du Québec, cet accord prévoyait des dispositions concernant la nomination des sénateurs et des juges à la Cour suprême du Canada à partir de listes soumises par les provinces, en s'assurant que trois des neuf juges seraient de formation civiliste; il confirmait un rôle provincial en matière d'immigration et limitait le pouvoir de dépenser du gouvernement fédéral dans les domaines de juridiction provinciale. Certaines dispositions prévoyaient un nouveau mode d'amendement à la Constitution et accordaient, en fait, un droit de veto au Québec et aux autres provinces dans certains domaines. L'Accord contenait enfin des dispositions sur la tenue de futures conférences ayant trait à une réforme du Sénat, aux droits des Premières nations, aux problèmes des pêcheries et à la situation économique générale.

Bien accueilli d'abord au Canada anglais et dans les milieux non indépendantistes québécois, l'Accord du lac Meech devait rapidement faire sortir l'ancien Premier ministre Trudeau de sa confortable retraite et l'amener à se lancer dans une charge, féroce selon les uns, courageuse selon les autres, mais sûrement malicieuse contre ses auteurs, traités de «pleutres et d'eunuques».

Grand voyageur en Chine et admirateur de l'ancienne civilisation chinoise, l'auteur de *Deux innocents en Chine rouge* aurait-il caractérisé ainsi les Premiers ministres fédéral et provinciaux en songeant à ce qui est arrivé au lendemain des célèbres dynasties, lors du règne de Qin (221-210), premier unificateur de l'Empire du Milieu et bâtisseur de la Grande Muraille, longue de 6 000 kilomètres — à peu près comme la frontière canado-américaine — des Tang (618-902), qui marqua l'âge d'or des «mandarins» et surtout de celle des Ming (1368-1644) dont le pouvoir absolu et centralisé allait, après eux, se dégrader, s'écarteler, se régionaliser avec la venue de la caste des véritables eunuques, ennemis des lettrés? Coïncidence? Comparaison avec la situation au Canada?

D'ailleurs, l'ancien et toujours «Prince», à Ottawa, n'hésita pas, le 27 mai 1987 — c'est-à-dire le jour même où le président Mitterrand était en visite au Canada, effectivement la première visite officielle d'un chef d'État français depuis celle d'un Général qui avait tenu à troubler les festivités du Centenaire de la fédération canadienne — à publier son pamphlet intitulé: «Comme gâchis total, il serait difficile de faire mieux» dans *La Presse* et le *Toronto Star*, deux quotidiens reconnus dans le passé pour leur tendance «libérale», dans le but d'influencer les Premiers ministres qui allaient signer l'Accord quelques jours plus tard. Mais la coïncidence était trop évidente pour certains observateurs. En effet, Pierre Elliott Trudeau et certains de ses proches collaborateurs ont la mémoire longue et la patience courte sur cette célèbre intervention dans les affaires canadiennes. Plutôt que d'attendre quelques jours, il réussit ainsi à voler la vedette et la manchette au président Mitterrand, d'ailleurs fort bien disposé envers l'ensemble du Canada et non seulement envers le Québec.

L'ex-leader, mais toujours la «conscience» du Parti libéral du Canada, fut invité, quelques semaines plus tard, à témoigner devant une Commission conjointe du Parlement, composée en partie de plusieurs Libéraux qu'il avait nommés en cascade au Sénat; il y fit, en anglais exclusivement, une allocution passionnée contrastant avec son article fort bien structuré et articulé. Convaincus d'avance, les disciples se répandirent dans toutes les steppes centrales et occidentales, les monts du Pacifique et les basses terres des Maritimes. Le glas de l'Accord du lac Meech commençait à sonner!

Le clan Trudeau, appuyé par un expert constitutionnel de grande renommée, Eugene Forsey, et par d'autres confidents politiques qui, entre temps, avaient été élus Premiers ministres du Nouveau-Brunswick, de Terre-Neuve et Chef de l'opposition du Manitoba, avec l'appui sur le terrain de nul autre que Jean Chrétien, entreprit des campagnes «anti-Meech» à travers le pays tout entier. Le gouvernement fédéral et les leaders de six provinces anglophones qui avaient ratifié l'Accord du lac Meech contre-attaquèrent sans stratégie. Pour sa part, le gouvernement Bourassa s'appuya surtout sur «les nouveaux hommes d'affaires québécois», avec à leur tête l'une des personnalités les plus respectées, monsieur Claude Castonguay, ancien ministre à Québec, nommé ensuite sénateur à Ottawa, après une période fort active dans le secteur privé.

Pendant près de trois ans, des débats, des conférences, des rencontres se déroulèrent à travers tout le Canada. Progressivement, l'opinion publique au Canada anglais devint «anti-Meech» et les manifestations anti-Québec et anti-usage de la langue française apparurent spontanément dans plusieurs milieux. Les passions s'exacerbaient. Le fleurdelisé fut piétiné par des orangistes ontariens, animés par un ex-Québécois; quelques versets de l'hymne national, chantés en français, furent hués à Toronto; l'ancienne municipalité francophone de Sault-Ste-Marie, où le français n'était plus qu'un souvenir, décréta l'unilinguisme anglais, le tout sous l'œil indiscret de la télévision dont les images, maintes fois diffusées, choquèrent et humilièrent les francophones. Sur la ligne de fond, au moment où l'on ne songeait plus qu'à l'échéance fatidique du 23 juin 1990, le Premier ministre Mulroney convoqua, au Centre des conférences d'Ottawa, une réunion de la dernière chance qui n'en finit plus de finir.

Au terme de ce marathon, on se rendit compte que le Nouveau-Brunswick était prêt à signer un accord légèrement amendé, grâce à des concessions de l'Ontario, mais que Terre-Neuve et le Manitoba avaient toujours des réserves sérieuses; on saisit aussi que les Premières nations du Canada étaient exaspérées d'avoir été écartées encore une fois du «processus constitutionnel» et qu'elles étaient déterminées à appuyer un des leurs, monsieur Elijah Harper, député du Manitoba, à refuser obstinément et systématiquement le vote unanime, requis à l'assemblée manitobaine, pour permettre un débat et un vote rapides. De son côté, le Premier ministre Wells, prétextant qu'il était «bousculé» par le gouvernement Mulroney et certaines provinces, proposa un ajournement de l'assemblée de Terre-Neuve et du Labrador avant la tenue du vote.

L'Accord du lac Meech mourut donc dans l'œuf, le soir du 23 juin 1990, le jour même où les Libéraux fédéraux se nommaient, pour succéder à John Turner, un nouveau leader, Jean Chrétien qui, si les sondages se confirmaient, pourrait peut-être former un prochain gouvernement libéral à Ottawa face à des Conservateurs alors en déconfiture dans les intentions de vote, et au parti Néo-démocrate, bien établi dans

l'Ouest et en Ontario, au nouveau Bloc québécois pro-
souverainiste de Lucien Bouchard — ancien ambassadeur du
Canada en France et ex-ministre dans le cabinet de monsieur
Mulroney, dont il était collègue à la Faculté de droit de l'Université Laval — et face à deux autres formations politiques,
le «Reform Party» dans l'Ouest et le «Confederation of
Regions Party» dans les Maritimes, groupements très à droite
également opposés au centralisme d'Ottawa, aux revendications du Québec et au bilinguisme officiel hors Québec.

Le Reform Party — dirigé par Preston Manning, fils de
l'ancien Premier ministre créditiste d'Alberta — a des structures et une audience qui s'élargissaient rapidement au
Canada anglais. Ce parti rejette le concept des «peuples fondateurs» et celui du «multiculturalisme»; il prône une «fédération de provinces égales» et un Sénat triple E. Il préconise
un contrôle plus sélectif de l'immigration et, surtout, une
importante déréglementation ainsi qu'un plus grand recours
au libre marché, à la manière de Ronald Reagan et de
Margaret Thatcher. Il mettrait un terme à la discipline des
partis, lors de la tenue de certains votes au Parlement, comme
c'est le cas aux États-Unis. Enfin, il s'engage à réformer le
système fiscal, à réduire les impôts et les déficits sans réduire
les services.

À moins de changements majeurs dans les comportements, la Chambre des communes, à Ottawa, risque d'être
fort divisée et difficile à gérer au milieu des années 90. Mais
tout peut changer rapidement. Rares sont les gouvernements
canadiens qui, une fois élus, ont maintenu une forte popularité en cours de mandat. Les choses changent souvent au
moment de l'élection. D'ailleurs, la nomination d'un nouveau
leader à la tête d'un parti est toujours possible et peut faire
osciller les tendances dans les intentions de vote. Il apparaît
toutefois que la Chambre des communes reflétera — avec
toutes les difficultés que cela entraînera au chapitre de la
prise de décision — le régionalisme qui s'affirme de plus en
plus au Canada. Ceci ne devrait pas favoriser la solution des
problèmes dans les négociations entre le Canada anglophone

et le Québec francophone. En effet, les leaders des deux grands partis traditionnels fédéraux sont originaires du Québec. Les Libéraux et les Progressistes-Conservateurs savent que, pour former un gouvernement majoritaire à Ottawa, il doivent compter avec le Québec. Or, un nombre croissant de Canadiens anglais n'acceptent plus que l'avenir du Canada soit négocié au sommet par un Québécois à Ottawa et un autre à Québec. Si la crise constitutionnelle s'approfondit, le leadership de messieurs Mulroney et Chrétien risque d'être de plus en plus remis en question par certains Canadiens anglais. Mais, selon d'autres, c'est la seule façon de maintenir l'unité du Canada, car les Québécois sont aussi des citoyens et des contribuables du Canada, ce qu'on a tendance à oublier très souvent.

\* \* \*

Comme les manifestations de la Saint-Jean l'ont démontré, quelques jours plus tard, l'échec de l'Accord du lac Meech a été perçu comme un véritable affront par la plupart des Québécois, même si cela faisait l'affaire du clan Trudeau, des indépendantistes au Québec, des Amérindiens, de certains groupes féministes et de défenseurs farouches de la *Charte canadienne des droits et libertés* qui craignaient que la clause de société distincte ne prévale sur celles de la Charte. Une forte majorité de Québécois a vu là le signe que le Canada anglais refusait de reconnaître le caractère distinct de leur province. C'était une attaque directe à la dignité individuelle et collective. Pour de nombreux Québécois, les propositions émanant d'Ottawa et du Canada anglais apparaîtront toujours trop timides et trop tardives alors que, pour le Canada anglais, les revendications du Québec semblent toujours exagérées et prématurées. On aurait dû songer à la valeur du proverbe burkinabé voulant que «l'eau versée par terre ne se ramasse plus...»

Mais, les intérêts étant trop élevés, il fallut, de part et d'autre, tenter de calmer les passions. Après une courte pause, au cours de l'été 1990, des entités et des comités de toutes sortes se mirent en place. Le Québec, cette fois, prit l'initiative. Le Parti libéral du Québec et le Parti québécois, dirigé depuis 1988 par Jacques Parizeau, appuyèrent le Premier ministre Bourassa dans sa détermination à ne plus entrer dans une négociation à onze — Ottawa et les dix provinces — où le Québec est toujours minoritaire, mais à se limiter aux négociations bilatérales avec Ottawa lorsque «l'intérêt supérieur du Québec l'exige».

Le XIᵉ Congrès du Parti québécois, tenu à Québec à la fin de janvier 1991, réaffirma sa détermination à mettre en place son projet de souveraineté-association, après un référendum qui serait tenu peu de temps après sa prise du pouvoir à Québec.

Le Parti libéral québécois, de son côté, réuni en congrès, au début de mars 1991, étudia et accepta les principales recommandations du rapport Allaire, du nom du président de son comité sur les questions constitutionnelles; ce rapport, intitulé *Un Québec libre de ses choix,* reprenait, en leur donnant une autre orientation, certaines des idées émises par Claude Ryan, en 1980, dans son «Livre beige», portant sur *Une nouvelle fédération canadienne.* L'ancien directeur influent du quotidien *Le Devoir,* avait été élu à la tête du Parti au Québec, après la défaite de Robert Bourassa, en 1976, et le retour de ce dernier, en 1985. Le rapport Allaire suggère, ni plus ni moins, en employant un langage fédéraliste, un régime confédéral où la plupart des pouvoirs seraient octroyés au Québec: seraient exclusifs au Canada les pouvoirs en matière de défense, de sécurité du territoire, de douanes et tarifs, de monnaie, de dette commune, de système de péréquation fiscale; seraient partagés, les affaires autochtones, la fiscalité, l'immigration, les pêcheries, la politique étrangère, les postes, le transport et les télécommunications. Le rapport prône enfin l'abolition du Sénat et une réduction des pouvoirs de la Chambre des communes.

Naturellement, le rapport Allaire a semé la consternation à Ottawa et en Ontario ainsi qu'au Manitoba — mais moins en Colombie-Britannique et en Alberta, où plusieurs souhaitaient alors une décentralisation de certains pouvoirs et de certaines institutions du gouvernement central. Cependant, tout le Canada anglais accorda beaucoup plus d'attention aux travaux de la commission Bélanger-Campeau — du nom de ses coprésidents, tous deux issus du monde des affaires — que l'Assemblée nationale du Québec institua, le 4 septembre 1990, avec mandat d'étudier et d'analyser le statut politique et constitutionnel du Québec et de formuler à cet égard des recommandations. Née dans la controverse — chaque groupe d'intérêt et de pression exigeant «son» représentant — la commission Bélanger-Campeau constitue un virage dans l'histoire du Québec.

Composée de trente-six membres — dix-huit députés provenant des trois partis politiques représentés à l'Assemblée nationale, le Parti libéral, le Parti québécois et l'Equality Party (établi en 1988 et formé de quatre députés anglophones), et de dix-huit personnalités québécoises dont deux députés fédéraux — la commission Bélanger-Campeau, après avoir entendu des témoignages à travers tout le Québec, invité des experts, analysé des mémoires, a déposé, le 27 mars 1991, un rapport majoritaire dont les principales recommandations sont les suivantes:

- l'adoption d'une loi prévoyant la tenue d'un référendum sur la souveraineté du Québec, soit entre le 8 et le 22 juin 1992, soit entre le 12 et le 26 octobre 1992;
- que ce référendum, s'il est affirmatif, propose que le Québec acquière le statut d'État souverain une année, jour pour jour, après la date du référendum.

En juin 1991, l'Assemblée nationale adopta une telle mesure législative, en votant la Loi 150. Le gouvernement Bourassa s'était gardé néanmoins une porte de sortie, en prévoyant un référendum soit sur la souveraineté québécoise, soit sur des offres jugées valables et intéressantes qui devraient être faites par le comité ministériel mis en place à Ottawa, et présidé par le premier Secrétaire d'État aux Affaires constitutionnelles du Canada, monsieur Joe Clark, l'un des ministres canadiens-anglais toujours très respecté au Québec.

Sa mission était de soumettre, au début de l'automne 1991, des propositions préparées par un «comité de l'unité» du Cabinet fédéral, avec l'appui d'un groupe de travail composé de plusieurs hauts fonctionnaires qui formaient le comité fédéral du «non» à la veille du référendum de 1980. Les dix-huit ministres étaient évidemment très divisés. Le résultat de leurs réflexions fut publié dans un «Livre vert» indiquant ainsi qu'il s'agissait de propositions initiales plutôt que de positions définitives du gouvernement central.

*Bâtir ensemble l'avenir du Canada* touchait à beaucoup plus de domaines que le texte de l'Accord du lac Meech. Il énonçait vingt-huit recommandations, dont la reconnaissance d'une forme d'autonomie aux autochtones; il suggérait la mise en place d'un sénat élu (sans déterminer le nombre de représentants pour chacune des provinces) et l'établissement d'un Conseil fédéral formé de représentants des gouvernements provinciaux et fédéral. Il relançait aussi le concept de «société distincte» pour le Québec, même si ce concept avait été la cause principale de l'échec de l'Accord du lac Meech, car une majorité de Canadiens anglais y voyaient l'octroi d'un statut privilégié au Québec; il restait à voir si ce concept, qu'on voudrait limiter à la langue, à la culture et au droit civil, se retrouverait à la fois dans la Charte canadienne des droits et libertés et dans les articles de la Constitution, comme le suggérait le Livre vert.

Une brèche fut ouverte au chapitre d'une nouvelle répartition des pouvoirs constitutionnels en matière de main-d'œuvre mais en favorisant, en même temps, un accroissement du pouvoir de coordination d'Ottawa en matière économique, sujet qui souleva immédiatement beaucoup d'opposition, notamment au Québec et en Ontario. Cette proposition fut explicitée dans un autre document, publié quelques jours plus tard, *Le fédéralisme canadien et l'union économique: partenariat pour la prospérité*. On suggéra aussi l'inclusion d'une «clause Canada» définissant la nature et les caractéristiques du pays tout entier.

Le document proposait, de plus, de garder le processus existant alors en matière d'amendement constitutionnel, à savoir l'accord d'Ottawa et des sept provinces représentant 50 pour 100 de la population canadienne dans la plupart des domaines, et l'unanimité pour changer certaines institutions. Le Premier ministre Bourassa fit savoir que le Québec exigerait le droit de veto qu'il avait déjà obtenu dans l'Accord du lac Meech. Enfin, le Livre vert suggérait des changements aux chapitres des procédures parlementaires, de la Charte canadienne des droits et libertés pour y inclure le droit de propriété, et des modifications visant à réduire la durée de la clause dérogatoire «nonobstant» et la portée du pouvoir de dépenser du gouvernement fédéral dans les domaines de juridiction des provinces.

Cette initiative du gouvernement Mulroney, en particulier du ministre des Affaires constitutionnelles, monsieur Joe Clark, en vue de procéder à une réforme approfondie de la Constitution du Canada, suscita, comme on pouvait s'y attendre, des réactions contradictoires, souvent exprimées avec férocité par différents leaders et citoyens dans plusieurs milieux et à l'occasion des travaux du comité conjoint de la Chambre des communes et du Sénat présidé par le sénateur Claude Castonguay et la députée conservatrice du Manitoba, madame Dorothy Dobbie.

Les Libéraux et les Néo-Démocrates ne tardèrent pas à attaquer la direction du comité, car les délibérations se déroulèrent souvent dans le désordre et la controverse, ce qui poussa le sénateur Castonguay à démissionner «pour des raisons de santé». Il fut remplacé par le sénateur Gérald Beaudoin, spécialiste réputé en droit constitutionnel. Ce comité formé de parlementaires des trois grands partis politiques fédéraux — à la suite d'audiences publiques et de la tenue de cinq conférences portant respectivement sur le projet d'union économique, la répartition des pouvoirs, la réforme du Sénat, l'identité canadienne y compris la société distincte du Québec et la dualité linguistique, ainsi que sur une analyse d'ensemble du projet de réforme constitutionnelle — avait pour mandat d'aider le gouvernement fédéral à présenter, au début de l'été 1992, des offres claires et définitives au Québec.

Ces rencontres mirent à nouveau à jour l'asymétrie des passions et la multiplicité des intérêts, mais aussi un début de reconnaissance du concept de l'asymétrie constitutionnelle. Elles permirent surtout à des «citoyens ordinaires» de tout le pays de s'exprimer spontanément dans les deux langues officielles et de mieux percevoir les points de vue des uns et des autres. La réforme constitutionnelle commençait ainsi à n'être plus «la chose des politiciens et des médias». Les autochtones exigèrent et obtinrent la tenue d'une sixième conférence consacrée à leurs propres problèmes et revendications, ce qui leur fournit une occasion de faire reconnaître leur droit d'être représentés aux conférences constitutionnelles.

De son côté, l'Assemblée nationale du Québec mit en place deux commissions: l'une responsable d'étudier les offres fédérales et l'autre d'analyser les coûts et mécanismes éventuels de la souveraineté, avant la tenue d'un référendum qui devrait avoir lieu au plus tard à la fin octobre 1992. Les représentants du Parti québécois, jugeant non valables les propositions du Livre vert, se retirèrent temporairement de la première commission.

La proposition concernant la reconnaissance de la société distincte a fait réagir à nouveau Pierre Elliott Trudeau qui préparait alors une forme de mémoires télévisuels. Personne ne savait si cette «série télévisée» allait donner lieu à de nouvelles interventions synchronisées avec d'autres débats, à des «analyses de justification» du type de celles parues dans le volume collectif, *Les Années Trudeau: la recherche d'une société juste* (Le Jour, éditeur, 1990) ou encore à des considérations nationales et internationales, brillantes et mesurées dont Trudeau était sans doute toujours capable pour faire les délices de ses partisans et mettre en colère ses adversaires.

Ainsi, il peut paraître étonnant à des observateurs internationaux mais non à des observateurs canadiens qu'une des personnalités politiques les plus connues à l'échelon mondial aurait laissé entendre, au sujet du projet de reconnaissance du concept de la société distincte québécoise, devant un parterre d'hommes d'affaires étrangers que «cela donnera au gouvernement de cette société distincte le pouvoir de dire: Tiens, déportons donc des milliers de Québécois non francophones». Ils ne comprennent pas pourquoi M. Trudeau, compte tenu de sa grande influence, ne cherche pas, tout en conservant son droit fondamental à intervenir dans la vie politique, à tourner certaines pages ou, du moins, à tenir un langage qui susciterait la conciliation plutôt que de favoriser, par de tels propos, la désinformation et la controverse. C'est peut-être, en interprétant ainsi l'avenir du Québec, une autre façon d'entrer dans l'Histoire. Mais peu importe; Pierre Elliott Trudeau fait l'objet d'une telle adulation dans certains milieux et d'une telle hostilité dans d'autres que, quoi qu'il fasse ou quoi qu'il dise, il sera toujours porté aux rues par les premiers et voué aux enfers par les autres. Suscitant lui-même «passions» et «intérêts», ceux et celles qui l'entourent ou l'observent sont souvent portés à le traiter de la même manière.

Ainsi, la décision, sans doute fort pertinente en soi, de reprendre la publication de la revue *Cité Libre*, après un silence d'un quart de siècle, sous prétexte que «le Québec baigne dans l'unanimisme politique», est significative mais pas nécessairement concluante. En effet, il existe plusieurs revues qui ne sont pas véritablement souverainistes au Québec, à commencer par *L'actualité* dont l'audience est immense et *L'Analyste*, étendard de certains Néo-Libéraux; ceux qui veulent s'en convaincre pourront lire l'article d'Andrée Fortin «Les intellectuels à travers leurs revues», publié dans *Recherches Sociographiques*, XXXI, 2, Québec, 1990. Le but réel serait-il de mettre sur la place publique la philosophie politique du cofondateur de la revue ou, plus exactement, d'actualiser celle-ci dans une province où, selon eux, on ne trouverait plus de véritable défenseur du fédéralisme classique, car il n'y aurait plus de différence entre le Parti libéral de Robert Bourassa et le P.Q.?

Rien n'était clair, si ce n'est que les fédéralistes traditionnels et orthodoxes semblaient déjà s'agiter, car le leader
du Parti libéral du Canada, Jean Chrétien, changeait trop
souvent son orientation, même si les Libéraux fédéraux
avaient le vent dans les voiles, face à des Progressistes-
Conservateurs, alors en pleine déroute dans les sondages.
Jean Chrétien traînait, derrière lui, au Québec, le boulet de
son rejet de l'Accord du lac Meech et de son accolade
historique avec le Premier ministre Wells, lors de son élection
à la direction du Parti libéral du Canada. Il n'arrivait pas, en
changeant souvent de cap, à formuler et articuler des politiques et des projets cohérents, susceptibles de convaincre un
électorat aux comportements bien susceptibles et volatils.

Tous les détracteurs et les thuriféraires de Trudeau se
souviennent que ce dernier savait tenir son cap dans l'océan
houleux du Canada, alors que dans les marais canadiens et
québécois, ça barbote et ça clapote dans tous les sens, aujour-
d'hui.

\* \* \*

À l'automne 1991 et à l'hiver 1992, des commissions
parlementaires se sont donc activées à nouveau à Ottawa, à
Québec et ailleurs au Canada où plusieurs invités firent une
critique des propositions fédérales. De leur côté, certaines
provinces et les Premières nations établirent leurs propres
commissions d'enquête sur les questions constitutionnelles.
Sous la direction de leur nouveau leader, Ovide Mercredi, les
autochtones obtinrent d'Ottawa la mise en place de deux
autres Commissions royales d'enquête à leur sujet, en avril et
en juillet 1991; très rapidement, ils firent connaître leur
mécontentement à la suite de la publication des propositions
du gouvernement Mulroney.

Quelques jours après la publication du rapport Beaudoin-
Dobbie, les autochtones obtinrent le droit de siéger aux négociations constitutionnelles, au moment même où le Québec
refusait toujours d'y participer officiellement. Il s'agissait là
d'un gain d'une portée historique pour chacune des quatre

grandes associations autochtones. Chacune aurait désormais droit à un représentant. Le Yukon et les Territoires du Nord-Ouest obtinrent aussi le droit d'être représentés. Dès lors, on ne parla plus de «rencontres à 11», mais bien à «17». Le Québec se trouvait encore plus isolé qu'auparavant. Dans de telles circonstances, une entente préréférendaire devenait problématique, car elle supposait un accord non seulement entre Ottawa et les provinces anglophones, mais aussi avec les deux Territoires ainsi qu'avec les Premières nations de l'ensemble du Canada.

Le Manitoba, par le truchement d'un comité représentant les différents partis présents à son assemblée législative, rejeta à nouveau le concept de société distincte pour le Québec, mais suggéra de le remplacer par celui de «société unique». Il ne faut pas oublier que le Manitoba n'a pas pardonné à Ottawa d'avoir octroyé le contrat d'entretien des avions CF-18 à Montréal plutôt qu'à Winnipeg, en 1986. Le mot «uniqueness» n'a pas la connotation de supériorité que sous-entend le terme «distinctiveness» en anglais. C'est sans doute un exemple typique: quelles que soient les intentions, elles sont souvent interprétées de façon différente dans l'autre langue. Il en est de même des «demandes» québécoises qui sont régulièrement interprétées comme des exigences (demands) au Canada anglais.

De son côté, le Parti néo-démocrate, premier parti fédéral canadien à être dirigé par une femme, madame Audrey McLaughlin, ainsi que son collègue, Bob Rae, qui est aussi le premier à diriger, depuis 1990, un gouvernement néo-démocrate en Ontario, réclamaient la tenue d'une assemblée constituante à l'échelle de tout le Canada. Monsieur Rae exigeait aussi que toute réforme de la Constitution prévoie l'enchâssement d'une Charte des droits sociaux (assurance santé, assistance sociale, éducation de base, habitat et environnement salubres, emploi, revenus et conditions de travail équitables).

Les deux nouveaux gouvernements néo-démocrates, élus en octobre 1991, en Colombie-Britannique et en Saskat-chewan, l'appuyèrent en ce sens de même que de nombreuses personnalités canadiennes et la commission Beaudoin-Dobbie. Pour la première fois dans l'histoire du Canada, les Néo-Démocrates étaient au pouvoir, au même moment, dans trois provinces, représentant ensemble 52 pour 100 de la population canadienne. Le Yukon était alors aussi dirigé par un gouvernement néo-démocrate. Ce n'était pas le cas dans les Territoires du Nord-Ouest, car les députés y étaient encore élus à titre personnel et non sous la bannière d'un parti. L'influence politique, sociale et constitutionnelle des Néo-Démocrates allait sans doute se faire sentir davantage, à l'avenir. De leur côté, certains groupes populaires québécois décidèrent, à la fin de 1991, de constituer leur propre commission d'enquête dans le but d'établir une «Charte populaire du Québec».

Le leader libéral, Jean Chrétien, lança, pour sa part, l'idée d'un référendum pancanadien, après celui qui devait avoir lieu au Québec. Une telle idée fut d'abord très controversée car elle impliquait une forme de sanction du droit des Québécois à l'autodétermination, principe qui avait été déjà reconnu par le Parti conservateur. Cette idée fut discutée au Parlement fédéral mais le ministre Clark refusa, dans un premier temps, de présenter un projet de loi précis, à la fin de 1991, au grand mécontentement du Parti libéral et de nombreux Canadiens. Quelques mois plus tard, face aux difficultés d'en arriver à un consensus intergouvernemental, le Premier ministre relança le projet dans l'opinion publique. Il n'était donc plus exclu qu'il y aurait éventuellement, à l'échelle de tout le Canada, un référendum ou un plébiscite — plus «indicatif» que «décisif» — ou que des provinces anglophones en organisent un, à leur palier respectif.

Le Livre vert du gouvernement Mulroney s'était inspiré en partie du rapport de 1991 émanant du *Forum des citoyens sur l'avenir du Canada*, présidé par Keith Spicer. Établi par Brian Mulroney, au lendemain de l'échec de l'Accord du lac Meech, ce panel de personnalités, comme l'avait fait, trente ans plus tôt, la Commission sur le bilinguisme et le biculturalisme, traversa tout le pays, sans oublier l'Arctique cette

fois, pour saisir les «états d'âme» des Canadiens. Les Québécois ont réservé à ce comité un accueil plutôt froid, même si
plusieurs d'entre eux aiment bien les états d'âme de monsieur
Spicer lui-même. En effet, tous ces efforts pour comprendre
ce qui est évident depuis plusieurs décennies sentent le
«réchauffé» au Québec. On est exaspéré de faire face à des
gens qui ne voient pas ou ne veulent pas comprendre «What
does Quebec want». De nombreux Québécois souhaiteraient
aussi que les Canadiens anglais clarifient «what Canada
wants», ce qui n'est pas une mince tâche, compte tenu de la
diversité des régions et des tendances.

Néanmoins, malgré les divergences à l'intérieur de son
groupe d'experts, l'ancien Commissaire aux langues officielles avait réussi à faire valoir la spécificité québécoise,
même si plusieurs de ses collègues voulaient la banaliser en
mettant l'accent sur d'autres problèmes, économiques, politiques et sociaux, et sur les revendications des autochtones en
passant effectivement sous silence la situation des francophones hors Québec et, fait nouveau, en critiquant les
programmes axés sur le multiculturalisme.

En dépit d'un accueil négatif, ce rapport marqua la
confirmation d'une nouvelle conscience du «ROC» (Rest of
Canada) face au Québec francophone et aux Premières
nations, et il préparait une voie à une éventuelle négociation
Québec-Canada, même si la batterie des provinces, surtout
activée par le Premier ministre Clyde Wells de Terre-Neuve,
et celle des autochtones, risquaient de faire beaucoup de
bruit. Clyde Wells avait eu la témérité, selon les uns, l'incons-
cience, selon d'autres, non seulement de s'opposer farouchement à l'inclusion du «caractère distinct» du Québec dans la
Constitution, mais aussi de venir à Montréal dire aux Québécois qu'ils devraient être Canadiens avant d'être Québécois!

De son côté, le comité Beaudoin-Edwards, chargé de
trouver un processus d'amendement constitutionnel plus
souple, remit, en juin 1991, un rapport qui revivifiait, vingt
ans plus tard, les dispositions de la Charte avortée de
Victoria de 1971. Le comité sénatorial proposa cependant

des votes axés autour de quatre (les Maritimes, le Québec, l'Ontario et l'Ouest) plutôt que de cinq régions, donnant à chacune un droit de veto sur certaines questions fondamentales en matière d'amendement constitutionnel; là aussi le quantum des négociateurs diminuait. Ces recommandations fort intéressantes demeurèrent lettre morte. Le jour même de leur publication, le Premier ministre de Terre-Neuve et celui du Manitoba en sonnèrent le glas, alors que monsieur Bourassa exprimait sa satisfaction.

Les suggestions faites par certains anciens Premiers ministres provinciaux et ministres fédéraux, comme messieurs Bill Davis de l'Ontario, Allan Blakeney de la Saskatchewan et Jean-Luc Pépin d'Ottawa, connurent le même sort. Leur «Rapport des 22», déposé en juin 1991, reprenait l'esprit du rapport de la commission Pépin-Robarts, de janvier 1979, fort pertinent à l'époque, mais aussitôt «tabletté» par Pierre Elliott Trudeau. Le rapport suggérait de retourner au véritable sens de l'*Acte de l'Amérique du Nord britannique* de 1867. Le secrétaire d'État aux Affaires constitutionnelles, monsieur Joe Clark, reçut ce rapport «avec un sourire». Les Québécois, dans leur ensemble, ne sourirent pas du tout devant les vingt-huit recommandations, dont plusieurs fort judicieuses, du Groupe des 22.

Il est indispensable de signaler l'intérêt qu'ont soulevé dans les milieux spécialisés plusieurs études originales comportant des recommandations sur des sujets très variés, à commencer par celles préparées pour et par le secrétariat de la commission Bélanger-Campeau, notamment le document de travail numéro 4, représentant les avis de spécialistes invités à répondre aux huit questions posées par la Commission (Québec, 1991). La plupart de ces études rejettent le *statu quo* et favorisent soit une réforme en profondeur du fédéralisme actuel, soit la poursuite par le Québec d'une souveraineté partielle ou absolue.

Des analyses, commanditées par l'Institut C.D. Howe et placées sous la coordination du professeur John McCallum de l'Université McGill, apportent d'autres éclairages, notamment celle de Gordon Ritchie et al. *Broken Links, Trade*

*Relations after a Quebec Secession* (Toronto, 1991) et celle de M<sup>e</sup> Claude Gendron et M<sup>e</sup> Daniel Desjardins, sur *Certains aspects juridiques du partage des actifs et des dettes en matière de succession d'État: le cas Québec-Canada* (Toronto, 1992).

Il en va de même d'une analyse originale et bien documentée, intitulée *In Praise of Renewed Federalism* (C.D. Howe Institute, 1991), du professeur Thomas J. Courchesne de l'Université Queen's en Ontario; il y fait une étude de l'impact économique d'une éventuelle indépendance complète du Québec et d'une «souveraineté-association» dans le contexte du libre-échange avec les États-Unis, tout en faisant des rapprochements avec la Communauté économique européenne. Il arrive, avec des données précises, à des conclusions différentes de celles formulées dans *Deconfederation — Canada without Quebec* (Key Porter Books, 1991), des professeurs Donald Bercusson et Barry Cooper de l'Université de Calgary; ces derniers proposent que le Canada «se retire» ou plus précisément délaisse le Québec; leur approche est essentiellement fondée sur «les passions et les intérêts» de droite des tenants du Reform Party.

Pour sa part, le professeur Phil Resnick de l'Université de Colombie-Britannique prône aussi le retrait du Québec du Canada dans son volume *Toward a Canada-Quebec Union* (1991), inspiré d'une philosophie plutôt à gauche selon laquelle le Québec empêcherait le Canada de réagir avec efficacité à la mainmise américaine sur l'économie et la culture canadiennes.

On dissertera pendant longtemps sur le rapport, publié à la fin de 1991, par le Conseil économique du Canada. *Un projet commun, aspects économiques des choix constitutionnels* a suscité l'ire du gouvernement fédéral car, en faisant l'analyse de plusieurs scénarios constitutionnels possibles, ce rapport a accrédité d'une certaine manière les vertus et les virtualités de la souveraineté-association. Selon certains, ce rapport a accéléré l'abolition du Conseil, quelques mois plus tard, par le gouvernement Mulroney, en même temps qu'une vingtaine d'autres organismes fédéraux, dans le but déclaré de réduire les dépenses publiques, de garder le déficit annuel sous la barre de trente milliards de dollars et de mieux maîtriser une dette publique fédérale dépassant les 450 milliards de dollars en 1992.

Parmi une kyrielle d'études, se distinguait aussi le rapport rédigé par dix-neuf experts réputés, sous la direction de Patrick Monahan, ancien conseiller de l'ex-Premier ministre libéral de l'Ontario, David Peterson, qui avait été très actif dans les initiatives pour sauver l'accord du lac Meech. Le *York University Constitutional Project* présente des analyses lucides qui tiennent compte à la fois d'une refonte en profondeur de la Constitution et des incidences d'une éventuelle sécession du Québec. Il en est de même de deux ouvrages commandités et publiés, au printemps 1992, par des organismes américains: *Turmoil in the Peacefull Kingdom*, par le Canadian American Committee de la National Planning Association et surtout *The Collapse of Canada?* par le Brookings Institution.

Effectivement, les modèles qui mèneraient à divers arrangements constitutionnels sont quasi illimités. Il y en a pour tous les goûts, pour tous les colloques. Devant tant de projets, on peut penser au propos de Nietzsche, dans *Ainsi parlait Zarathoustra*: «À vivre parmi les hommes, on désapprend l'homme; chez tous les hommes, il y a trop de premiers plans.» Le Canada et le Québec n'ont pas un trop-plein d'hommes, avec seulement vingt-sept millions d'habitants, mais un trop-plein de premiers plans constitutionnels.

On pourrait croire que des esprits raisonnables écarteraient *a priori* — mais ce n'est pas du tout le cas — des plans ou des projets étonnants, impraticables et imprévisibles à brève ou à moyenne échéance, à savoir le *statu quo*, une plus grande centralisation des pouvoirs à Ottawa, une super-supra-structure plus complexe que la Communauté européenne, un rattachement de l'ensemble du Canada aux États-Unis ou la création de plusieurs Canadas avec des modifications de frontières. Les projets bizarres décollent lorsque le bon sens s'envole. On parle déjà de réduire le territoire du Québec ou de prévoir un corridor au sud, entre les Maritimes et l'Ontario! Alors que d'aucuns veulent créer une armée québécoise pour préserver l'intégrité du territoire d'un Québec souverain, d'autres exigent déjà un recours éventuel à l'armée canadienne pour maintenir l'intégrité de l'ensemble du Canada et contrer ainsi la sécession du Québec.

De leur côté, à l'intérieur même du Québec, les Inuit, au nombre de six mille cinq cents, et les Amérindiens (environ cinquante mille répartis en dix nations) réclament près des deux tiers du territoire québécois et exigent, devant les instances internationales, qu'on reconnaisse leur droit à l'autodétermination; ils contestent avec force, avec l'appui d'écologistes canadiens et étrangers, au moyen d'une publicité très amère dans des grands quotidiens américains, causant des effets immédiats au Vermont, au Massachusetts et surtout dans l'État de New York — qui dénonça son contrat d'une valeur de plus de quinze milliards de dollars avec Hydro-Québec — le droit au Québec de construire de nouveaux projets hydro-électriques dans les régions nordiques.

Certains d'entre eux affirment que, si le Québec devient souverain, ils feront de même et demanderont un rattachement territorial au Canada. Enfin, d'autres soulignent que le Québec ne peut devenir souverain «sans leur permission» et surtout pas avant de régler toutes leurs revendications territoriales. Le Premier ministre du Québec, ainsi que le leader du Parti québécois, répondent que le territoire actuel du Québec est indivisible, mais qu'on pourra y reconnaître une autonomie interne aux autochtones.

À la veille du référendum de 1980, le gouvernement québécois avait fait étudier toute une série d'options: États associés, union monétaire, union douanière, zone de libre-échange, marché commun, Confédération, union du type de l'ancienne Autriche-Hongrie, statut particulier, souveraineté-association, indépendance complète. À Ottawa, on parla de fédéralisme fonctionnel, coopératif, rentable, décentralisé, régionalisé, renouvelé, reconstitué. Le régime de Joe Clark, en 1979-1980, lança l'idée d'un Commonwealth canadien et celle d'une Communauté de communautés. Tous ces modèles sont théoriquement possibles, mais il est fort douteux qu'on puisse en choisir un selon la formule de négociation à dix-sept.

La souveraineté-association et l'indépendance totale du Québec sont des projets très débattus. Ces projets dépendent d'abord d'un référendum où la population québécoise devrait se prononcer et de négociations éventuelles avec le reste du Canada; ils dépendent aussi de la reconnaissance d'un Québec souverain ou indépendant par le Canada, par d'autres pays et organisations internationales, à commencer par les États-Unis avec lesquels le Québec a près de 80 pour 100 de ses échanges commerciaux et financiers, hors Canada. La réaction du gouvernement de la «nouvelle France» sera aussi importante.

La mise au point selon laquelle la France «ne désire pas prendre parti dans une querelle interne du Canada et souhaite que la crise actuelle sera surmontée rapidement», faite par l'ambassadeur de France à Ottawa, monsieur Bujon de l'Estang, après la visite du leader du Parti québécois en France, au printemps 1991, est révélatrice à cet égard. Monsieur Parizeau avait affirmé que le Québec bénéficierait de la «sympathie active» de tout gouvernement français au pouvoir une fois le Québec indépendant.

Certains soutiennent que la gauche française est beaucoup moins passionnée que la droite pour la souveraineté du Québec. Des séjours réguliers en France, depuis le milieu des années cinquante, ne m'en convainquent pas; mais deux phénomènes sautent maintenant aux yeux: la nouvelle classe économique française est assez réservée face à une indépendance totale du Québec et s'intéresse de plus en plus à l'Ontario; la publicité de certains transporteurs aériens clamant «Paris-Toronto et rien entre les deux» est fort éloquente et instructive à la fois. De plus, le Canada a fait des gains psychologiques par rapport au Québec partout en France et dans presque tous les milieux politiques, économiques, financiers, technologiques et même universitaires, au cours des dernières années. Ceux qui affirment le contraire rendent un très mauvais service aux intérêts à long terme du Québec. Il y a un gigantesque travail à faire là. Si on veut s'en convaincre, on devrait sereinement prendre le pouls véritable de la France, à commencer par la lecture du récent ouvrage collectif *Le Canada* (Presses universitaires de Nancy, 1991) rédigé par des canadianistes français, sous la direction de Paule Marie Duhet.

Mais là et ailleurs, les choses peuvent changer, car le Québec a des assises internationales de plus en plus étendues, comme le démontre le Livre blanc officiel *Le Québec et l'interdépendance, le monde pour horizon*, préparé par le gouvernement Bourassa, notamment par son ministre des Affaires internationales, monsieur John Ciaccia, à l'automne 1991. Néanmoins, toutes les réactions internationales représentent un domaine fort hypothétique sur lequel le Canada et le Québec n'ont pas de contrôle. Il est inutile, par conséquent, de jouer aux devins; l'expérience démontre toutefois que la très vaste majorité des nouveaux États sont rapidement reconnus, comme ce fut le cas des nouvelles républiques issues du démembrement de l'ex-URSS et de l'ex-Yougoslavie.

Le rôle international du Québec a connu, surtout depuis 1960, une expansion considérable. Le Québec peut compter sur des acquis incontestables qui font état de changements radicaux survenus en peu de temps. En fait, le Québec, avec différents types de représentations, a déjà beaucoup plus de rapports internationaux et d'échanges que bien des États souverains.

Si, d'une part, cette action internationale substantielle est généralement méconnue ou critiquée au Canada anglais, il faut, d'autre part, l'analyser dans son juste contexte. À côté d'une place spécifique et très pertinente dans le monde francophone, de son rôle croissant dans l'Agence de coopération culturelle et technique et d'autres institutions de la francophonie, à côté d'une présence plus visible, par un réseau de près de trente délégations et bureaux à travers le monde, l'activité officielle et directe du Québec est inexistante ou très faible dans près de cinq cents organismes intergouvernementaux.

Le Québec est officiellement absent du FMI, de la Banque mondiale, du GATT, de l'OCDE, des banques régionales de développement et naturellement de l'ONU et des institutions spécialisées, de même que de tous les grands dossiers et accords internationaux qui régissent la défense, la haute mer, les espaces extra-atmosphériques, l'Arctique, l'Antarctique, l'environnement, les poids et mesures, la météorologie, pour ne citer que quelques domaines. De plus, le Québec a peu de contrôle sur l'aide au développement que coordonne et supervise l'Agence canadienne de développement international (ACDI). La commission Bélanger-Campeau ne s'est pas interrogée sur ces questions, pourtant fondamentales, à l'exception des échanges internationaux. Il est évident que la masse critique de réflexions en la matière reste à faire.

\* \* \*

Il ne fait plus de doute que le Québec, avec ou sans référendum, se dirige vers un statut *sui generis* axé sur *l'endogénéité dynamique* qui reflète et reconnaît non seulement son caractère culturel particulier, mais aussi sa spécificité juridique sur les plans interne et international. Une telle endogénéité tridimensionnelle provient à la fois du caractère culturel original des Québécois francophones et de leur épicentre géographique et historique non seulement au Canada mais aussi dans le monde. De plus, cette endogénéité dynamique (dunamikos: puissance active et énergique par rapport à statique), contrairement au provincialisme d'antan, est loin d'être figée et repliée sur elle-même; en effet, elle est ouverte aux mouvements, accessible aux changements, réceptive aux autres peuples et axée sur le patriotisme, l'ethos et l'altérité plutôt que sur des principes nationalistes dépassés et exacerbés.

L'endogénéité dynamique, tout en s'appuyant sur les assises culturelles des Québécois francophones, prend aussi en compte les mutations qui se produisent à l'intérieur du Québec et du Canada ainsi que celles qui ont lieu dans le reste du monde. Cette inter-relation est un des aspects fondamentaux, mais ce n'est pas le seul élément, qui caractérise et explique la dynamique humaine tant au plan vertical (territorial) qu'au plan horizontal (fonctionnel), dans un univers en mutation.

En effet, l'être ne se définit plus uniquement par rapport à lui-même et à d'autres êtres, comme le font les promoteurs des droits individuels, ou par rapport à la société d'abord et face à d'autres sociétés, comme le font les nationalistes; l'être se définit aussi par rapport à un univers en mutation. L'endo-généité place donc simultanément l'origine de l'être dans lui-même, dans la société et dans l'universalité; si elle constate que l'être vit dans un espace territorial, politique, écono-mique et culturel, elle le voit aussi comme partenaire dans des milieux professionnels, fonctionnels, religieux, intellectuels, associatifs multiples qui transcendent le territoire et rejoi-gnent l'universalité. L'être subit en même temps l'influence de forces, d'entités et de mouvements internationaux. Ces phénomènes verticaux et horizontaux définissent de plus en plus son identité, sa vie, ses conceptions et ses comporte-ments.

L'endogénéité dynamique ne s'appuie donc pas sur un seul épicentre géographique ou humain — soit «l'être» soit «la société» — mais aussi sur l'épicentre «universalité». C'est une triade où chaque élément d'une égale valeur et impor-tance forme une synergie de la dynamique humaine. Enfin, comme on le verra plus loin, l'endogénéité reconnaît la mon-tée rapide de notions, valeurs et réalités internationales qui bouleversent la vie nationale et celle des individus.

Concrètement, l'endogénéité dynamique stimule une prise de conscience affirmative plutôt que négative; elle met l'accent sur «l'être» plutôt que sur «le paraître»; elle invite à être perçu pour ce que l'on est vraiment plutôt que sur ce qui nous différencie. Ainsi, les Québécois, comme tout autre peuple, n'ont pas à recevoir l'approbation de qui que ce soit pour être ce qu'ils sont. L'insistance constante sur «la diffé-rence» est problématique à la longue. Mieux vaut être et se voir tel qu'on est essentiellement, avec ses qualités et ses défauts, plutôt que sur ce qu'on a de différent. On est ce que l'on est! C'est une attitude qui fait appel à la réalité et à l'espoir plutôt qu'aux illusions et à l'utopie. Elle mise sur la fierté légitime d'être soi-même plutôt que sur celle de paraître différent des autres. De plus, elle encourage à miser sur l'avenir sans pour autant négliger le passé dans la recherche d'une plus grande dignité, identité, sécurité, prospérité et liberté.

Effectivement, le Québec a des caractéristiques qui lui sont propres. De plus, le Québec se bâtit progressivement un statut *sui generis* qui, à la lumière de lois, de programmes et de pratiques singulières, s'institutionnalisera davantage par la proclamation probable d'une Constitution québécoise, un peu comme l'ont déjà fait les États de la fédération américaine, ce qui, effectivement, ne déroge pas à la pratique du fédéralisme. Mais cela impliquera que, tout en s'inspirant de certaines expériences étrangères, le Québec devra trouver en lui-même les forces, les idées, les démarches qui mèneront à un Québec *sui generis* non seulement au sens pratique, mais aussi au plan juridique et constitutionnel. Le Québec peut agir seul avec ses prérogatives propres, mais il doit naturellement éviter la rhétorique inutile, inefficace et porteuse de discorde.

Ce Québec, fondé sur l'endogénéité et la compétence, dépendra de la capacité des Québécois non seulement de faire valoir et de promouvoir leur caractère propre, mais surtout de savoir le traduire dans des dossiers concrets qu'ils pourront négocier avec intelligence et pragmatisme dans une situation où les dés ne sont pas pipés contre eux, en un mot, en alliant compétence pratique et influence réelle dans les négociations constitutionnelles. Par-dessus tout, il ne faut pas *geler les situations* et réduire au départ *la gamme des solutions*.

Comme l'endogénéité tridimensionnelle repose sur une vision lucide et rationnelle de l'être plutôt que du paraître, elle ne devrait pas inciter à la reconnaissance constitutionnelle d'une réalité évidente, à savoir le caractère distinct du Québec, mais plutôt à sa confirmation pratique et à sa mise en œuvre. En effet, le rétrécissement et la minorisation que les francophones ont subis et leurs inquiétudes face à leur avenir collectif en Amérique du Nord les ont amenés à penser qu'il était indispensable de confirmer leur identité ou leur statut de société distincte dans la Constitution. Évidemment, une telle approche découle de la logique nationaliste et étatique. Elle ne repose pas sur l'endogénéité dynamique qui n'exigerait pas une telle confirmation de la «différence» mais bien celle de l'identité sociétale, de sa restructuration et de son fonctionnement.

D'ailleurs, l'endogénéité, en s'ouvrant non seulement sur l'individualité et la société mais aussi sur l'universalité, présente des possibilités d'élargissement de l'espace des francophones aussi bien que de celui de tous les êtres qui ont ou auront accès au monde des réseaux. En effet, dans la société des réseaux, un nombre de plus en plus grand de gens travailleront et occuperont leur vie avec d'autres personnes résidant sur d'autres continents et cela sans avoir même à se déplacer. Leur univers ne sera plus à l'échelle d'un milieu territorial mais bien d'un environnement international. C'est déjà le cas pour un grand nombre de gens.

Or, les inquiétudes liées au rétrécissement de leur espace géographique et démographique ont spontanément poussé les francophones, dans un premier temps, à bâtir des forts et des contreforts linguistiques, culturels, politiques et religieux, à cultiver le repliement, à développer une mentalité «d'assiégés» chez la plupart d'entre eux et «d'aventuriers» pour ceux qui voulaient, à l'exemple de leurs ancêtres, découvrir l'extérieur, hors des milieux où l'on ne retrouvait pas «les siens».

À cette logique de repliement et d'assiégé qui incitait à cultiver son ordre interne avec des vertus axées sur la tradition, la religion, l'autonomie provinciale et un mode de vie communautaire où l'individualisme n'était pas la qualité la plus apte à favoriser la survivance nationale, a succédé une nouvelle logique de l'affirmation qui n'a pas tardé à prendre la mesure des différents reculs: d'abord, sur le plan territorial: l'assimilation a fait disparaître le fait français dans plusieurs endroits aux États-Unis et au Canada; deuxièmement, sur le plan économique: l'entrée dans l'ère postindustrielle et technologique a mis en lumière la précarité de la langue française; troisièmement, sur le plan politique: le poids des francophones diminue proportionnellement au Canada; et enfin sur le plan psychologique: un grand nombre de Québécois s'identifient de moins en moins au Canada tout entier parce qu'ils ont l'impression que leur récente logique nationale ne s'harmonise pas avec la nouvelle logique nationaliste pancanadienne.

D'ailleurs, les nationalistes québécois les plus irréductibles ne se sentent pas simplement menacés de l'extérieur, mais aussi à l'intérieur du Québec, et plus seulement par les anglophones, mais aussi par les allophones, les autochtones et d'autres groupes minoritaires culturels et linguistiques, sans oublier les minorités visibles.

En réalité, on a assisté à deux mouvements quasi simultanés: d'un côté, plus les anglophones se détachaient de l'Empire britannique et de la Grande-Bretagne ainsi que de leurs symboles, plus ils devenaient «Canadiens». D'un autre coté, plus les années passaient après 1960, plus les Canadiens français du Québec devenaient «Québécois». La théorie des «deux nations» était alors très discutée en maints milieux.

Dans un deuxième temps, la Révolution tranquille, qui avait mis fin à «l'époque de la grande noirceur», favorisa une prise de conscience des retards internes et entraîna des ruptures dans presque tous les domaines ainsi que l'entrée rapide dans la modernité; appuyée par des artistes, des chanteurs et des intellectuels, elle donna une vigueur et un nouveau sentiment de fierté nationale ainsi qu'une ouverture au monde. On commença à brûler un cléricalisme omniprésent sur le bûcher de l'étatisme et du nationalisme. Même le cardinal Paul-Émile Léger, archevêque de Montréal de 1950 à 1967, qui avait réussi durant les années 50, lors de la récitation quotidienne du chapelet, à la radio de CKAC, à mettre la moitié des familles québécoises «à genoux» et qui s'était fait remarquer par son dynamisme et ses idées avant-gardistes lors du Concile de Vatican II, de 1962 à 1965, ne put résister au vent du changement; il décida de devenir missionnaire au Cameroun pendant une dizaine d'années avant d'établir et de diriger, jusqu'à son décès en 1991, des fondations pour venir en aide aux défavorisés aussi bien au pays que dans le tiers monde.

Toutes les valeurs traditionnelles furent remises en question: le rôle de la femme, la famille nucléaire, la sexualité, l'école, l'Église, l'autorité, le monde des affaires, les syndicats, la fonction publique, etc. On commença à parler de laïcité, d'indépendantisme et de socialisme dans une société de consommation et de loisirs où la télévision, depuis 1951, avait fasciné et influencé la génération issue du «baby boom». Les Québécois cessèrent de vivre à «l'ombre du clocher» pour vivre devant «leur petit écran». Si cette télévision renvoya aux Québécois une image peu reluisante d'eux-mêmes, elle leur permit en même temps de s'ouvrir au monde et de découvrir d'autres vedettes et de futurs leaders.

Le plus populaire n'était nul autre que René Lévesque, ancien journaliste de guerre en Europe pour l'armée américaine et en Corée pour la Société Radio-Canada. Son émission *Point de mire* eut un double effet. D'une part, elle contribua à ouvrir une fenêtre québécoise sur l'univers et, d'autre part, à populariser l'image de René Lévesque dans l'opinion publique. Après une longue grève à Radio-Canada qui radicalisa sa pensée face aux institutions fédérales, René Lévesque fit le saut en politique québécoise avec Jean Lesage, en 1960, et devint ministre à Québec.

Partout, tout bougeait très vite. Après une élection rapide, en 1962, le gouvernement Jean Lesage procéda, l'année suivante, à la nationalisation des compagnies d'électricité, suivant les propositions de René Lévesque. L'autonomie provinciale et le conservatisme de l'Union nationale de Maurice Duplessis devenaient rapidement des souvenirs dont la jeunesse ne voulait plus entendre parler. D'une part, plusieurs militants syndicaux et des diplômés de l'École des sciences sociales, de l'Université Laval de Québec, ainsi que certains membres de l'équipe de la revue *Cité Libre* prirent la route qui menait à la gestion et au pouvoir à Ottawa; d'autre part, des journalistes, des professeurs de Montréal et des lecteurs influencés par les revues *Parti Pris* et *Liberté* s'engagèrent dans la construction de l'État québécois dans tous les domaines à commencer par celui de l'éducation.

Dans la foulée des recommandations de la Commission, dirigée par le recteur de l'Université Laval, Mgr Alphonse-Marie Parent, on créa, en 1964, le ministère de l'Éducation qui remplaça le département de l'Instruction publique où l'épiscopat occupait une place prépondérante. Les anciens collèges classiques et les couvents laissèrent leur place à des «écoles secondaires polyvalentes» et à des cégeps (Collèges d'enseignement général et professionnel) dans le but de démocratiser, laïciser et populariser l'enseignement secondaire et collégial où n'accédaient, en 1964, que 7 pour 100 des francophones québécois. L'Université du Québec fut créée: celle-ci implanta des «constituantes» dans la plupart des régions de la province où il n'y avait pas d'institution d'enseignement supérieur. Partout, il fallait «reprendre le temps perdu». Et le rattrapage se fit très rapidement dans plusieurs milieux.

Face à de nouveaux États moins avancés économiquement et intellectuellement, plusieurs en sont venus à croire que le Québec devait non seulement emboîter le pas, mais faire mieux. Le mouvement nationaliste passa donc du palier passif de la survivance culturelle et linguistique au palier politique et économique actif avec un enclenchement dans «la voie du pouvoir» qui pousse quasi inévitablement vers la recherche des pleins pouvoirs, c'est-à-dire ceux de l'État souverain.

Pour y arriver, il fallait non seulement identifier les fondements et les dimensions de l'État, mais aussi adopter et adapter un discours et des comportements étatiques. On cessa de parler des Canadiens français pour désigner les Québécois francophones. On n'identifia plus le Québec comme une province, mais plutôt comme un gouvernement et un État où il faut être «maîtres chez nous». On passa ensuite à la théorie de «l'égalité entre les deux peuples fondateurs» et à l'idée «d'égalité ou indépendance». Le Québec chercha aussi à s'affirmer au plan international en ouvrant des bureaux officiels à l'étranger, dont la Délégation générale à Paris, dès 1961. Des ententes furent conclues avec la France en 1964. Paul Gérin-Lajoie développa ensuite la théorie du prolongement externe des compétences internes du Québec et suggéra un rôle particulier pour le Québec dans une éventuelle organisation regroupant les pays francophones.

À côté de ce mouvement d'affirmation politique, se développa une affirmation économique issue d'une nouvelle génération de diplômés des H.E.C. et d'autres écoles de gestion et de commerce qui créèrent un milieu et un réseau d'entreprises francophones. Après des succès remarquables, ce milieu dut faire face à une internationalisation qui étreint désormais le Québec et l'oblige à procéder à une profonde restructuration économique dont la population en général n'est pas prête à subir les chocs; ceci provoqua une scission entre un Québec où l'on s'enrichit et un Québec où l'on s'appauvrit, à l'exemple, notamment, des États-Unis et d'autres pays industrialisés.

On a pu en saisir l'ampleur et l'acuité en juxtaposant, au cours de l'hiver 1992, les files d'attente de joyeux skieurs devant les remontées mécaniques à celles de démunis devant les cuisines de l'Armée du Salut, de Jeunesse au Soleil ou devant les Restaurants du cœur où jamais, depuis les années trente, on n'avait vu autant de gens. Il en était de même en Europe et aux États-Unis. Mais, l'objectif de plusieurs, à l'intérieur du Québec, était d'isoler cette situation et de suggérer que l'État québécois serait en mesure de mieux combattre cette nouvelle pauvreté qu'un Canada qui n'arrive pas à contrôler ses déficits; par conséquent, Ottawa était un mauvais gestionnaire dont on pouvait se passer.

En second lieu, il fallait montrer, dans la logique nationaliste, que le processus d'identification ne serait «pleinement réalisé» que lorsque le Québec deviendrait «pleinement souverain». Le Québec serait donc en quête d'entéléchie, en matière de souveraineté, c'est-à-dire de ce principe qui, selon Aristote, fait passer l'être de la puissance à l'acte ou à sa réalisation. Or, ce processus d'identification et de réalisation a une longue histoire.

Les francophones ont effectivement connu plusieurs identités: Français d'Amérique, Français du Canada, Canadiens, Canadiens français, Québécois puis, aujourd'hui, Québécois francophones. On s'est appuyé sur des critères non seulement géographiques, culturels, ethnologiques, religieux, économiques, idéologiques, politiques, mais aussi psychologiques pour les caractériser et les «typer». En se fondant sur un, quelques-uns ou l'ensemble de ces critères, on a pu faire des lectures différentes du cheminement des francophones.

Aujourd'hui, en s'appuyant sur des sondages sophistiqués, on s'efforce de montrer les traits et les comportements particuliers des Québécois francophones par rapport à ceux des Canadiens anglais dans toutes sortes de domaines, y compris les habitudes alimentaires et vestimentaires. Le numéro spécial de *L'actualité,* de janvier 1992, «Anatomie d'une société distincte: qui nous sommes» est fort révélateur à cet égard, en particulier au chapitre des droits individuels. Il démontre que les Québécois francophones, contrairement aux idées reçues au Canada anglais, y sont les plus attachés. Évidemment, une analyse comparative démontrerait que plusieurs de ces attitudes différentes se retrouvent aussi dans les populations des autres pays industrialisés, aux États-Unis par exemple, où les contrastes sont frappants selon les milieux, les groupes sociologiques et les régions.

Or, il faut bien admettre qu'il n'y a pas de consensus sur la notion même de Québécois. De façon réaliste, il faudrait admettre qu'il s'agit de toute personne vivant à l'intérieur des frontières du Québec, ce que reconnaît d'ailleurs le Parti québécois. Or, les autochtones refusent cette définition; beaucoup d'anglophones et d'allophones n'acceptent pas de se définir comme tels. D'ailleurs, et c'est l'aspect le plus étonnant, plusieurs nationalistes revendiquent le droit de définir qui est «un vrai Québécois», un peu comme les Estoniens ont défini qui a droit ou pas au titre de citoyen dans la nouvelle Estonie redevenue indépendante en 1991, et comme plusieurs pays européens l'ont fait vis-à-vis des travailleurs vivant sur leur territoire depuis des décennies.

Ce qu'il y a de vraiment particulier au Québec, c'est l'esprit sous-jacent à tous ces comportements ainsi que les lectures qu'on en fait. Mais, au-delà de celles-ci, les faits et les réalités démontrent que le Québec francophone est spécifique et qu'il a suscité progressivement, par les mutations les plus diverses et par l'action des acteurs politiques, économiques et intellectuels, comme c'est le cas partout ailleurs, un sentiment d'appartenance collective. Il a aussi développé une *québécité* ou une *québécitude* qui s'exprime non seulement dans la chanson, la musique, la danse, le théâtre, les arts, le spectacle, la littérature, les médias, mais aussi dans la vie politique, économique et sociale: c'est maintenant une évidence. En soi, elle devrait présenter un enrichissement à l'ensemble du Canada. Or, la réalisation de cette québécité pose problème à la nouvelle «canadianité»; elle crée un dilemme difficile à résoudre car elle oppose des concepts et des visions différentes du phénomène sociétal. On analyse l'être, le fait national en fonction de «passions d'être englobantes» et de «désirs d'avoir distincts».

Ces deux lectures nationalistes débouchent nécessairement sur l'État à conforter autour du symbole de la «feuille d'érable» à arborer *a mari usque ad mare*, le 1er juillet, à l'occasion de la Fête du Canada; ou à forger autour de la «fleur de lys» que l'on arbore le jour de la St-Jean-Baptiste, le 24 juin, depuis que le Premier ministre Maurice Duplessis l'a fait adopter, en 1948, comme drapeau québécois, dans la lignée de la devise *Je me souviens*. La première lecture affirme la primauté de l'individu dans l'État existant et l'autre la pérennité de la collectivité dans un État à créer où les droits individuels seraient garantis. Ces deux visions sont conflictuelles par essence.

L'endogénéité dynamique ne nie pas ces deux phénomènes — individualité et collectivité — mais elle en reconnaît un troisième, — celui de l'universalité. Ce troisième creuset, qui complète et influence les deux autres, fait naître de nouveaux types de vies sociétales qui émergent rapidement, comme on le verra plus loin, avec l'explosion de réseaux et de préoccupations à caractère universel. Ce creuset engendre de nouvelles valeurs mondiales comme le respect des écosystèmes et des espèces marines, animales et végétales menacées de disparition, le patrimoine commun de l'humanité, la protection de l'environnement planétaire, la co-propriété de l'Antarctique ainsi que de l'univers spatial et océanique.

L'endogénéité dynamique repose sur des harmonies et des synthèses à établir plutôt que sur des thèses qui, en s'affrontant, créent tout naturellement des «antithèses». En somme, l'endogénéité dynamique implique la nécessité d'être soi-même et de s'affirmer comme tel tout en étant partie prenante à l'intérieur d'une collectivité et en se situant progressivement et résolument par rapport à un univers en mutation.

L'endogénéité reconnaît la place et le rôle du nationalisme, mais ne le confond pas avec «le fait national» et encore moins avec «les droits collectifs.» En réalité, le fait collectif, les communautés ethniques, linguistiques, religieuses remontent très loin dans l'Histoire. Certains définissent la nation comme une unité humaine et politique partageant un même territoire et soumise à une même autorité; cependant, d'autres groupes, comme les Palestiniens et les Kurdes, refusent cette définition étant donné qu'ils vivent dans différents territoires et ne possèdent pas un véritable État.

Si la nation a des origines et des manifestations très lointaines, il n'en est pas de même du nationalisme qui est une idéologie remontant au XVIIIᵉ siècle.

Certains soutiennent, avec raison, que l'on peut être nationaliste sans promouvoir une seule mais plusieurs nations. C'est ainsi qu'on a construit la France avec des nations les plus diverses dont certaines sont demeurées très attachées à leur identité, notamment les Corses, les Basques, les Bretons, les Occitans, les Alsaciens, sans parler des Antillais, des Réunionnais et des Néo-Calédoniens. Il en est de même au Royaume-Uni avec les Anglais, les Écossais, les Gallois et les Irlandais protestants. Et que dire de l'ancienne Union soviétique et même des États-Unis qui, chacun à leur manière, ont forgé de grands États avec plusieurs nations et ont développé un patriotisme englobant, tout en combattant leurs nationalismes internes.

Les théories sur la nation et le nationalisme sont si nombreuses que le simple fait d'en chercher une définition est presque prendre parti dans un débat qui a divisé, aussi bien au Canada qu'ailleurs dans le monde, historiens et écrivains, géographes et philosophes, sociologues et anthropologues, théologiens et politiciens, militaires et chefs d'État, théoriciens et praticiens.

Selon les philosophes allemands, Herder et Fichte en tête, la nation fait l'individu. La nation est une communauté dont l'esprit (*Volksgeist*) façonne les êtres, leur culture: il s'agit de ce que l'on a appelé la «théorie ethnique des nationalités» ou celle fondée sur des prétendus critères objectifs que Sieyès, dans *Qu'est-ce que le tiers état?*, publié en 1789, avait lui-même reconnus en soulignant que la nation est «un corps d'associés vivant sous une même loi commune et représentée par la même législature». La légitimité et la souveraineté, selon Sieyès, ne reposent plus dans les mains de la royauté, mais dans celles des citoyens qui composent la nation. On avait alors déjà dépassé le pouvoir de droit divin et le pouvoir du droit du souverain. La nation est devenue souveraine et donc détentrice de la souveraineté absolue de décider aussi bien de la vie que de la mort.

Des philosophes français, de leur côté, ont valorisé la théorie élective des nations qui, selon Renan et Fustel de

Coulanges, veut que ce soit l'individu qui fasse la nation et la choisisse. C'est la théorie des critères subjectifs décrits par Renan dans sa célèbre conférence, prononcée le 11 mars 1882, à la Sorbonne, dans la foulée de l'annexion de l'Alsace-Lorraine par l'Allemagne.

À ses yeux, la nation n'est pas le résultat de la langue, de la religion, de la race, ni de la communauté des intérêts, ni même de la communauté géographique. Pour lui:

> Une nation est une âme, un principe spirituel. Deux choses qui, à vrai dire, n'en font qu'une, constituent cette âme, ce principe spirituel. L'une est dans le passé, l'autre dans le présent. L'une est la possession en commun d'un legs de souvenirs; l'autre est dans le consentement actuel, le désir de vivre ensemble, la volonté de continuer à faire valoir l'héritage qu'on a reçu indivis... Une nation est donc une grande solidarité constituée par le sentiment des sacrifices qu'on a faits et de ceux qu'on est disposé à faire encore. Elle suppose un passé; elle se résume pourtant dans le présent par un fait tangible: le consentement, le désir clairement exprimé de continuer la vie commune. L'existence d'une nation est, pardonnez-moi cette métaphore, un plébiscite de tous les jours comme l'existence de l'individu est une affirmation perpétuelle de vie.

Cette définition de Renan a toujours fait le bonheur de ceux qui fondent leurs visions sur des concepts subjectifs, à commencer par les États-Unis, sur une nation qui n'est pas synonyme d'État, mais qui ne nie pas l'État. Pour plusieurs théoriciens, surtout depuis la Révolution française, la nation détient le principe de la souveraineté et possède une priorité historique et logique sur l'État dont elle est à l'origine.

De nos jours, surtout depuis 1945, c'est fréquemment l'inverse car l'État, notamment en Asie et en Afrique, s'est imposé à «la nation» en regroupant plusieurs ethnies. On assiste présentement, dans plusieurs régions du monde, notamment dans l'ex-URSS, en Yougoslavie, au Moyen-Orient, à la résurgence des nations fondées sur des critères plus objectifs. Dans tous les cas, c'est la défense et la promotion des droits collectifs qui sont mises en avant en s'appuyant non seulement sur de grandes conventions ayant trait au respect des droits individuels et collectifs consacrés par l'ONU, mais aussi sur des actions et des convictions humanitaires qui repoussent la validité du principe de la souveraineté absolue en cas de crise grave pour y apposer «le droit à l'ingérence» — comme on l'a fait pour les Kurdes en Irak — et celui de «la gérance internationale» — comme l'a démontré l'action de l'ONU au Cambodge.

Les interactions entre les nations ont donné naissance, après le *jus gentium*, à la conception moderne du «droit international» (Jeremy Bentham a utilisé ce terme pour la première fois, en 1780); elles ont aussi engendré le nationalisme. Le professeur E.J. Hobsbawm, de l'Université de Londres, a publié récemment une étude, *Nations and Nationalism since 1780, Programme, Myth, Reality* (Cambridge University Press, 1990) où, en s'appuyant sur une documentation très riche, il montre l'évolution des deux phénomènes. Il conclut que, sous la poussée de l'internationalisme, le nationalisme a peut-être atteint son zénith. L'histoire récente démontre toutefois que ces deux courants se développent concurremment, même dans des pays de l'OCDE où nationalisme, patriotisme et ethos apparaissent simultanément sous des formes différentes; ils constituent autant de manifestations de «faits nationaux» et de «droits collectifs». La lecture du livre de Roger Caratini, *La force des faibles*, *Encyclopédie mondiale des minorités* (Larousse, 1977) est révélatrice à ce sujet.

Tous ceux qui font une lecture pessimiste démontrent que le nationalisme débouche inévitablement sur la négation des droits individuels, sur la récupération des droits collectifs pour des fins strictement politiques et étatiques, ainsi que sur l'exaltation de la nation et du sentiment national qui entraînent la xénophobie, le racisme, les hécatombes, les conflits, la guerre, les hégémonies et l'impérialisme. Il s'agit de nationalismes clos, apeurés, paranoïaques ou exaltés.

En revanche, ceux qui en font une lecture plus optimiste s'appuient sur le respect des langues et des cultures, sur le droit à la liberté des peuples à s'affirmer et à revendiquer, à l'image de tant d'autres peuples, le droit à se constituer démocratiquement en une unité politique, comme on l'a vu dans le passé, comme on le voit présentement, et comme on le verra encore à l'avenir. Naturellement, on fait souvent un amalgame erroné entre le nationalisme et le patriotisme; alors que les vertus du patriotisme sont essentiellement positives et conviviales, ce n'est pas toujours le cas du nationalisme.

Effectivement, le nationalisme est une arme à double tranchant. C'est une idéologie porteuse à la fois d'héroïsme et d'horreur. C'est l'une des rares idéologies qui a pu être combinée à toutes sortes d'autres idéologies souvent contradictoires, libérales, totalitaires, capitalistes, communistes, religieuses et athées. La force, tout comme le handicap, du nationalisme est qu'il fait appel aux émotions les plus saines comme aux sentiments les plus effroyables; dans les deux cas, il a prouvé indiscutablement sa bienfaisante comme sa terrifiante efficacité. C'est un phénomène qui tantôt corrige, tantôt engendre des maux. D'ailleurs, il est très rare qu'il incite à une lecture uniforme.

Le cas des nationalismes québécois et canadien est particulièrement intéressant car les lectures qu'on en fait, de part et d'autre, sont paradoxales: pessimistes vis-à-vis des autres car les problèmes et les difficultés sont principalement causés par ces derniers; triomphalistes au sujet de ses propres capacités d'être et d'agir, en ne faisant pas une lecture réaliste des obstacles internes et externes. Le mal canadien et québécois, au-delà de la crise économique, n'est pas physique mais bien métaphysique. C'est un mal-d'être, un inconfort psychologique fondé sur des «passions d'être» et des «désirs d'avoir» qui, dans certains cas, sont naturels et spontanés et, dans d'autres, sont artificiels et entretenus. Ce sont aussi deux tentatives contraires de récupération du «nous collectif».

En effet, à travers l'Histoire moderne, on a presque continuellement assisté à des efforts de récupération des droits collectifs par des mouvements les plus divers et non seulement par des groupes nationalistes. Ce fut trop souvent le cas de nombreuses Églises nationales et patriotiques de même que de l'Église anglicane et de l'Église catholique: on songe au gallicanisme en France et au rôle de l'Église au Canada français dans son ensemble et au Québec en particulier, où la langue était gardienne de la foi mais où l'Église était, jusqu'en 1960, un lieu où la nation se définissait, un organisme qui contrôlait le bien-être et l'éducation, supervisait l'évolution des mœurs et des idées et guidait les fidèles dans leur cheminement personnel et collectif. On a peine à croire qu'il y a un quart de siècle, des organismes aussi séculiers que l'Union des producteurs agricoles (UPA) et la Confédération des syndicats nationaux (CSN) s'appelaient l'Union catholique des cultivateurs (UCC) et la Confédération des travailleurs catholiques du Canada (CTCC).

On ne compte plus les mouvements, depuis le fascisme et le nazisme ainsi que le marxisme, — en dépit de son discours internationaliste voulant que les ouvriers qui n'ont pas de patrie doivent tous s'unir — qui ont récupéré et exhorté les droits collectifs et le courant nationaliste en procédant à des amalgames des deux phénomènes. Songeons à ce qui s'est passé en Chine et à Cuba, notamment. On ne le dira jamais assez, le nationalisme est une idéologie alors que les droits collectifs n'en sont pas une. Dès que l'on procède à cette fusion dans l'esprit, on doit en conclure que seuls les nationalistes peuvent défendre les droits collectifs. C'est inexact, et en théorie et en pratique. Il est tout à fait normal de promouvoir, défendre et soutenir les droits collectifs sans adhérer à l'idéologie nationaliste. D'ailleurs, certains droits collectifs ne sont pas de nature linguistique ou culturelle. En Irlande du Nord, c'est le facteur religieux qui est au centre du conflit.

S'il est courant de voir, partout dans le monde, des groupes nationalistes prétendre parler au nom de toute la collectivité et affirmer qu'eux seuls sont les vrais défenseurs des droits collectifs, on assiste aussi à des luttes fratricides entre ces groupes qui revendiquent chacun la légitimité et l'autorité. La plupart des régimes révolutionnaires et totalitaires ont connu ces expériences, depuis ceux issus des révolutions française, soviétique et chinoise, pour n'en mentionner que quelques-uns.

De leur côté, les défenseurs exclusifs des droits individuels, en soutenant que la promotion des droits collectifs débouche nécessairement sur le nationalisme étroit, sont aussi dans l'erreur, car ils oublient le bien-fondé de nombreuses valeurs collectives. Ils ne voient, dans leur lecture sélective de l'Histoire, que les malheurs engendrés par le nationalisme et le peu de virtualités positives des droits collectifs. On est en présence de ces deux conceptions au Canada et au Québec.

Certains affichent des problématiques de «vie en commun» et de «construction sociétale» qui ne s'alimenteraient plus au même «vouloir-vivre collectif» et au même «pouvoir national». Si la trajectoire du vouloir-vivre collectif est plus difficile à mesurer — car elle s'identifie à chaque individu — celle du pouvoir national s'incarne généralement dans des institutions étatiques. Comme celles-ci sont déjà créées au Canada, il faudrait alors les enrichir, les soutenir et les défendre. Au Québec, d'autres cherchent en revanche à les établir dans des domaines où ces institutions et programmes n'existent pas, le Québec n'étant pas pleinement souverain.

C'est évidemment pourquoi, dans le débat constitutionnel actuel, la clause de la société distincte soulève tant de passions: elle représente, aux yeux des nationalistes canadiens, un pas vers la construction d'un autre État qui affaiblirait ou détruirait le Canada. Ces derniers affirment que ce concept à caractère collectif nuirait au respect et à la promotion des droits individuels et conférerait éventuellement des «pouvoirs» spéciaux au Québec. Le théorème «individu — collectivité» ainsi que celui du «contrôle des pouvoirs» est donc, dans la logique traditionnelle de l'État, au cœur des discussions.

Il est évident que si la reconnaissance du concept de société distincte eût réconforté une majorité de Québécois francophones, plusieurs d'entre eux n'en auraient pas été satisfaits pour autant, car ils ne souhaitent pas strictement un nouveau partage des pouvoirs mais bien l'ensemble des pouvoirs constitutionnels. De part et d'autre, on s'oppose dans un espace qui, intellectuellement et pratiquement, est essentiellement nationaliste; on fait aussi une analyse à court terme qui ne tient pas suffisamment compte des mutations dans la fonction de l'État et des mutations mondiales.

Or, l'endogénéité dynamique fait une autre lecture. Fondamentalement, et de façon pratique, elle place la dynamique politico-sociale sur les interactions entre les êtres non seulement à partir de «l'épicentre-individu» et de «l'épicentre-société», mais aussi d'autres épicentres géographiques, professionnels, spirituels et intellectuels dont le plus significatif et le plus novateur est sans doute «l'épicentre-universalité».

Alors que le nationalisme met l'accent à la fois sur l'individu et la nation dans le monde, l'endogénéité dynamique élargit la pyramide, car elle présuppose une nouvelle éthique et un nouvel humanisme qui transcendent les êtres et les sociétés de façon bien différente de ce que l'on a toujours connu depuis les penseurs présocratiques, c'est-à-dire les rapports entre l'être et l'univers, l'humain et le divin, et reconnu dans les grandes religions ou philosophies qui cherchent à expliquer et orienter les comportements individuels et collectifs.

Tout en reconnaissant l'importance des valeurs humanistes et religieuses — comment ne pas songer à l'importance des réflexions de Camus sur un nouvel humanisme stoïcien et de Teilhard de Chardin sur l'alpha et l'oméga qui ont suscité tant d'intérêt au cours des dernières décennies —, l'endogénéité s'ouvre en même temps à des notions et des concepts que la multiplication des échanges et des interactions de différentes natures a rapidement mis en lumière et en œuvre. Des droits universels sont apparus; ceux-ci ne sont pas la suite directe des droits individuels ou des droits collectifs mais bien des droits inhérents à l'universalité que le nouveau droit mondial, distinct en ce sens du droit international classique, est en train de faire reconnaître.

Alors que le nationalisme restreint l'espace géographique, spirituel et intellectuel, l'endogénéité dynamique s'ouvre à un cosmos et à une cosmologie porteurs d'avenir, à des valeurs d'interprétation plutôt que de confrontation, de droits impliquant aussi des responsabilités, d'un droit synonyme de justice plutôt que de recettes juridiques. Elle met aussi l'accent sur l'équité économique et la solidarité face à des situations internationales, depuis la recherche d'un développement durable et d'un meilleur équilibre entre pays riches et pays pauvres jusqu'à la solution de crises et de conflits, de même que la promotion des droits individuels et collectifs à l'échelon de l'humanité, ainsi que la protection contre le péril nucléaire et une exploitation sauvage des ressources animales, végétales, minérales, terrestres, océaniques et spatiales.

Loin de nier, de dominer ou de supplanter les droits individuels et les droits collectifs, les droits humanitaires complètent les deux premiers et engendrent de nouvelles responsabilités qui nous font moins les propriétaires et davantage les usufruitiers et les gérants d'un univers en mutation où l'on doit de plus en plus promouvoir le patrimoine de l'humanité de demain et les droits des générations futures.

Alors que les promoteurs des droits collectifs attaquent souvent ceux qui affirment la primauté des droits individuels, ils marginalisent aussi les valeurs, les forces et les entités à caractère «mondial» qui transcendent les droits individuels ou collectifs. L'inverse est aussi vrai. En s'enfermant dans la logique de «l'épicentre individuel» ou celle de «l'épicentre national», ils ne peuvent imaginer d'autres analyses et d'autres sorties de la crise qu'une solution traditionnelle et étatique qui s'en inspire. Or, l'endogénéité, en situant l'être dans des cercles individuels, collectifs et universels qui s'interpénètrent, ne met pas en opposition les rapports verticaux, fondés sur la notion de territoire, et les rapports horizontaux, axés sur les fonctions et les idées.

L'endogénéité dynamique ne nie pas l'État et encore moins la nation; bien au contraire; mais elle ne conçoit pas l'État comme le dépositaire d'une seule et unique nation ou encore comme un simple instrument de pouvoir institutionnalisé, mais plutôt comme une forme d'organisation et de vie sociétales où tous les êtres sont de plus en plus influencés par des phénomènes à caractère non simplement national et international mais aussi universel, ce qui n'implique pas cependant de conformité ou d'uniformité.

L'endogénéité dynamique, tout en reconnaissant la place et l'importance des phénomènes internationaux, ne tombe pas pour autant dans l'erreur des individualistes ou des nationalistes qui affirment la primauté de leur thèse par rapport à celle de l'autre. Certains mondialistes commettent aussi la même erreur en prônant la primauté de l'internationalisme. À l'époque des réseaux et à l'ère postindustrielle, il est futile de suggérer une troisième approche «dominante» alors qu'il faut songer à une synergie qui définit l'être et la société face à l'universalité.

L'endogénéité ne nie pas les «passions d'être» et les «désirs d'avoir». Elle ajoute cependant un élément de rationalité dans un univers en mutation dont la survie, le progrès et le développement dépendent de visions axées sur une plus grande solidarité et coresponsabilité à l'échelon de toute l'humanité.

Dans cet esprit, le monde de demain sera beaucoup plus celui des «influences» et des «compétences dévolutives» et concurrentes que celui des «pouvoirs exclusifs» auxquels l'État et le nationalisme traditionnels nous ont habitués. Évidemment, selon les individualistes et les nationalistes, figés dans leur approche exclusive, une telle analyse n'est pas acceptable. Au Canada anglais, ceci inquiète les premiers, car c'est l'avenir de l'État existant qu'elle met en jeu. Au Québec, ceci trouble les seconds, car leur rêve étatique serait, selon eux, mis hors-jeu. Tous deux font une lecture erronée, fondée sur des schémas anachroniques et des paradigmes linéaires axés sur la logique non seulement des «passions d'être» et des «désirs d'avoir», mais surtout sur la logique du «pouvoir» et du «droit» plutôt que sur celle de «l'influence» et de «la justice» individuelle, sociétale et universelle.

De plus, ce n'est pas seulement au plan vertical que les choses vont changer, mais aussi au niveau horizontal, c'est-à-dire à celui des participations qui transcenderont les frontières territoriales. D'ailleurs, ce processus est déjà fort avancé. L'être ne se définit plus uniquement par rapport à d'autres êtres nationaux à l'intérieur d'une société ou d'un État. Il appartient aussi à un nombre croissant de sensibilités et de communautés ethniques, linguistiques, professionnelles, religieuses et autres qui transcendent sa personne, ses goûts, ses habitudes, son travail, ses loisirs, ses convictions, ses passions, ses intérêts. L'individu va déjà et ira de plus en plus chercher partout sur la planète de nouveaux types de complicité et de solidarité, ce qui créera inévitablement des problèmes d'un genre différent, ainsi que de nombreux contentieux et des conflits de juridiction et de réseaux.

La véritable problématique institutionnelle repose donc sur le type d'organisation sociétale qui servirait le mieux l'épanouissement et le progrès des collectivités qui subiront des influences externes véhiculées par des réseaux hautement sophistiqués. Est-il préférable d'en modifier les structures organisationnelles ou de créer des États parallèles, comme on l'a vu avec la multiplication des États depuis 1945 ou d'inventer, comme on le fait en Europe, des entités de type nouveau qui ne voient plus d'opposition entre des institutions étatiques qui s'interpénètrent plutôt qu'elles ne se juxtaposent?

On voit naître un nouveau creuset personnel et sociétal qui débouche sur une organisation nécessairement collective et institutionnelle qui possède certains traits d'un État traditionnel, mais qui n'en est pas exactement un. «L'Europe de Maastricht» s'y dirige à grands pas. Il en sera peut-être de même dans ce que l'on appelle la Communauté des États indépendants dans l'ancienne URSS, mais c'est là une autre histoire, qui est loin d'être terminée.

Par conséquent, en refusant de dépasser des projets axés principalement sur les droits individuels ou sur les droits collectifs, en faisant abstraction des droits de l'humanité, on en vient spontanément à considérer comme des rêveurs tous ceux qui ne partagent pas la vision soit de l'État canadien à conforter et à défendre, soit de l'État québécois à bâtir et à faire reconnaître. Tout compromis équivaut à faire acte de compromission. C'est la route la plus sûre vers la confrontation, car il n'y a pas de vision et de volonté politiques soucieuses de dépasser les «passions d'être» et les «désirs d'avoir».

Le Québec et le Canada, comme on l'a vu, ne sont déjà plus les mêmes qu'il y a trois décennies, mais ne sont pas encore totalement différents. Néanmoins, une chose est certaine: ils sont sur la voie de l'endogénéité dynamique qui définit le phénomène sociétal en se fondant sur une synergie des épicentres «individu», «société» et «universalité». Il en est de même pour un grand nombre d'États industrialisés qui entrent rapidement dans l'ère de l'économie quaternaire où le nationalisme laissera de plus en plus place à l'ethos, c'est-à-dire aux traits et aux caractères des individus qui vivent dans un groupe et un milieu donnés par-delà les origines ethniques et religieuses. D'ailleurs, on ne verra plus d'opposition à appartenir à deux ou plusieurs moules étatiques, comme c'est déjà le cas dans l'Europe des douze où la nationalité de chacun des États-membres n'est plus opposée à la nationalité européenne, mais lui est complémentaire.

\* \* \*

Ainsi, il n'est pas impensable que la prochaine décennie produise des moutures étatiques différentes au Canada dans son ensemble. La recherche d'une nouvelle identité canadienne tiendra compte des courants profonds qui, sans nécessairement réduire le nombre des provinces, institutionnaliseront davantage les grandes régions et obligeront à redéfinir de nombreuses compétences avec celles-ci et avec les autochtones, tout en prévoyant une coordination de plusieurs domaines de juridiction avec le Québec.

On reconnaîtra éventuellement qu'après avoir abandonné, il y a plusieurs décennies, le concept désuet de *Dominion du Canada* fondé sur un passé colonial, on devra songer à une forme de *condominium du Canada,* défini non pas selon un nationalisme impossible, mais selon un ethos concret qui n'exclut pas divers patriotismes, comme c'est le cas en Europe; une telle entité serait orientée vers un avenir où le rôle traditionnel de l'État serait sensiblement transformé, comme dans d'autres pays industrialisés où des mutations dans les fonctions de l'État et la montée des réseaux modifieront les comportements à la fois des individus, des sociétés et, éventuellement, remodèleront le statut des États.

En fait, le Canada et le Québec entrent dans une des périodes les plus enivrantes mais les plus périlleuses de leur histoire. La majorité des forces vives québécoises, une grande partie de la classe politique, des milieux éducationnels, professionnels, artistiques et culturels, des syndicats ouvriers et agricoles, des mouvements coopératifs, de la fonction publique, des enseignants, du milieu de la santé et des municipalités, du monde des affaires, des mouvements de jeunes est montée à bord d'un autocar engagé dans un trajet tortueux à flanc de montagne. Au bas de la pente, il y a une rivière et un pont.

Au fur et à mesure que l'autobus accélère, les risques de dérapage et d'accident grandissent plus qu'ils ne s'amenuisent. Tout dépendra de celui qui sera au volant, de sa capacité de guider le véhicule et d'appliquer les freins aux bons moments, sans oublier le comportement imprévisible, calme ou agité, des passagers. Si la descente se fait sans heurts et si la traversée du pont est effectuée sans trop de dégâts au véhicule, il faudra ensuite remonter la pente opposée. Or, comme elle est loin d'être «douce», elle exigera de tous les passagers qu'ils quittent leur siège confortable, relèvent leurs manches et poussent le véhicule, maintenant à court de carburant. Une fois au sommet, il faudra négocier l'achat d'essence avec des gens peu disposés à vendre. Et là, ça risque d'être encore fort compliqué, car tous les pièges seront déjà en place.

Les Québécois vivent donc un dilemme profond. Selon une partie d'entre eux, il est impossible de penser sérieusement qu'une société, aussi pacifique et démocratique que le

Québec, aussi soucieuse de garder son niveau et sa qualité de vie, puisse se lancer à corps perdu dans une aventure qui lui réserverait exactement le contraire des résultats qu'elle recherche, quelques décennies à peine après être sortie d'une longue période de repliement où son image était plus identifiée au passé, au monde rural, à un peuple peu scolarisé, dominé par l'Église et des partis politiques plus enclins à garder le pouvoir qu'à prévoir et à gérer le développement économique et social rapide des Québécois. Les anciennes certitudes du passé — agriculturisme, catholicisme, provincialisme — ont laissé place à l'urbanisation, l'industrialisation et l'internationalisation.

Pour d'autres, il est illusoire de penser que le Québec puisse sacrifier son nouveau sens de la compétence et de l'ouverture au monde pour satisfaire ceux qui se confortent dans la vision d'un Canada biculturel, sorte de rempart face à l'envahissante puissance américaine. Selon eux, les Québécois ont atteint l'âge de la maturité où ils ne croient plus beaucoup les voix sibyllines, ricaneuses, haineuses qui leur font entendre qu'ils étaient nés pour un petit pain et qu'ils font peu de contribution au patrimoine de l'humanité. Ils n'acceptent plus ces propos cyniques et méprisants selon lesquels les anglophones doivent — en droit et en fait — avoir accès à tous les services dans leur langue au Québec, alors qu'il est «normal» que les francophones ne jouissent pas des mêmes droits, hors Québec, car ils sont en Amérique du Nord et qu'il est «naturel» qu'ils s'anglicisent. D'ailleurs, le bilinguisme coûte trop cher! Naturellement, le bilinguisme coûte trop cher hors Québec mais pas au Québec! On croirait entendre Lord Durham un siècle et demi plus tard! Or, ce sont souvent les mêmes personnes qui parlent du caractère bilingue du Canada face aux États-Unis.

En fait, les Québécois francophones n'ont que faire de ceux qui poussent l'outrage jusqu'à les comparer aux Boers de l'Afrique du Sud! En réalité, seuls des êtres condescendants et obtus peuvent imaginer une telle comparaison lorsqu'on connaît la discrimination qu'ont dû subir les

Canadiens français, même au Québec. S'ils peuvent paraître isolés géographiquement et culturellement en Amérique du Nord, ils partagent, contrairement aux Boers, leur culture avec plus de quarante États de la planète. Curieux Boers à rebours! En fait, l'ignorance de nombreuses personnalités anglophones sur tout ce qui se passe dans la francophonie, notamment dans les domaines de pointe, est terrifiante et inquiétante. Si elles ne l'ignorent pas, elles s'efforcent toujours de marginaliser l'espace francophone en soutenant qu'on y mène là un combat d'arrière-garde, perdu d'avance!

De toute manière, le Québec constitue pour elles le bouc émissaire idéal et la loi 178 sur l'affichage en français est devenue «la plaie» à dénoncer qui fait oublier perfidement toutes les plaies du Canada anglais! En effet, l'analyse à partir des impressions plutôt que des réalités est monnaie courante. Ainsi, les statistiques démontrent que moins de 4 pour 100 des Canadiens anglais écoutent la télévision de la Société Radio-Canada en français, hors Québec. On peut compter sur ses doigts les citations dans des analyses dites sérieuses qui recourent aux études publiées en français. La connaissance des réalités francophones se fait presque toujours par des sources secondaires ou des traductions. En revanche, on assiste à un développement, inimaginable il y a une vingtaine d'années, de l'enseignement du français dans les provinces anglophones. Les cours d'immersion sont devenus très populaires. Il est possible que tous ces jeunes qui deviennent bilingues s'ouvrent davantage à la réalité québécoise. Au Québec même, 50 pour 100 des jeunes anglophones parlent le français alors que 40 pour 100 des francophones parlent l'anglais. Hors Québec, plus de 90 pour 100 des anglophones ignorent la langue française alors que plus de 90 pour 100 des francophones parlent l'anglais.

Il y a là une raison qui explique pourquoi tant de commentateurs anglophones voient l'agir collectif des Québécois comme un signe de nationalisme étroit ou l'interprètent comme une manifestation et une expression de chauvinisme et de provincialisme. Ils persistent soit à mettre en lumière des faits qu'une majorité de Québécois regrettent et déplorent eux-mêmes, soit à décrire le Québec contemporain à partir d'un certain passé totalement dépassé, en taisant tous les aspects dynamiques et positifs qui sont le reflet d'une recherche de compétence individuelle et collective ainsi que d'un patriotisme sain et normal.

Il est aussi déplorable que les leaders du Parti québécois, formation politique fort démocratique, soient vus parfois, au Canada anglais et à l'étranger, comme des esprits peu sérieux ou révolutionnaires alors que ce sont des gens fort compétents pour la plupart, très pacifiques et réalistes en matière économique. Si les dirigeants des pays baltes et de l'Ukraine sont considérés comme des gens raisonnables, pourquoi les leaders du Parti québécois seraient-ils nécessairement des exaltés? Tout observateur le moindrement attentif constate bien que ce n'est pas le cas.

Ce sont souvent ces mêmes personnalités qui commencent maintenant à avoir mauvaise conscience vis-à-vis des autochtones et de nombreux autres peuples à travers le monde. Ainsi, elles n'hésitent pas à approuver d'emblée les nationalismes et les poussées indépendantistes ailleurs alors que, pour elles, le même phénomène est négatif *a priori* au Québec. Le nationalisme canadien devrait susciter l'enthousiasme et soulever les masses, alors que le nationalisme québécois évoque le fanatisme et la xénophobie! On voit ainsi le Québec à travers un prisme déformant. Ces mêmes gens ne veulent pas entendre que les francophones québécois vivent dans un état de précarité dans un univers anglo-saxon (environ cinq à six millions par rapport à deux cent quatre-vingts millions) et que leur survie collective à long terme ne dépend pas seulement de choix personnels des couples, mais aussi de décisions et de mesures à caractère public — qui existent dans de nombreux États européens — pour contrer la baisse de la natalité et les effets négatifs de l'immigration.

Bref, on peut s'attendre à ce que ces personnalités reconnaissent le caractère distinct des autochtones, mais continuent de contester celui du Québec. Elles savent bien que les

Amérindiens, dans leur très vaste majorité — ce n'est pas le cas des Inuit — utilisent de moins en moins leur langue maternelle mais bien l'anglais, aussi bien à l'intérieur qu'à l'extérieur des réserves, même au Québec pour certaines nations. Le long processus d'assimilation linguistique ayant fonctionné, surtout dans l'école et les milieux de travail, il reste à voir comment on s'accommodera des exigences d'autonomie en matière politique, économique, sociale, culturelle et judiciaire des autochtones.

La proposition initiale du gouvernement Mulroney prévoyait un délai maximum de dix ans pour apporter des réponses constitutionnelles, sinon les tribunaux devaient trancher. Cette proposition a suscité la colère immédiate des leaders autochtones qui revendiquent la reconnaissance constitutionnelle de «leurs droits inhérents» au même titre que le caractère distinct du Québec. La commission Beaudoin-Dobbie a, par la suite, proposé la reconnaissance immédiate de ces droits inhérents. Si ceci ne pose pas de problèmes juridiques majeurs sur le plan théorique ou strictement déclaratoire, c'est plus complexe au chapitre de la mise en œuvre, compte tenu des situations territoriales et surtout démographiques fort disparates. De plus, un grand nombre de femmes autochtones s'opposent à la reconnaissance de ces droits inhérents et traditionnels qui selon elles, les marginaliseraient et les opprimeraient.

Il faut se rappeler que les dix nations indiennes du Québec ne représentent en tout que 50 000 personnes, réparties sur environ une vingtaine de réserves et une trentaine d'autres «établissements», la plupart isolés les uns des autres et de tailles fort disparates. L'ouvrage de Renée Dupuy, *La Question indienne au Canada* (Boréal, 1991), présente une synthèse judicieuse de l'ensemble des réalités autochtones.

Il est de plus en plus apparent que, si les années 1960 et 1970 ont été celles de l'affirmation des francophones, si les années 1980 ont mis en lumière le visage multiethnique du Canada, les années 1990 seront marquées par la montée des revendications des autochtones. Comment concilier celles-ci avec la recherche d'une nouvelle entente avec le Québec? Voilà un défi de taille pour le sens du compromis traditionnel qui a fondé et sur lequel s'est progressivement bâti le Canada. Ainsi, la décision du gouvernement fédéral de créer dans les Territoires du Nord-Ouest la région autonome de Nunavut — «notre terre» en esquimau — en cédant à 17 500 Inuit un territoire représentant un cinquième du Canada, est un geste d'une portée considérable. Elle risque néanmoins de faire de nombreux envieux et de susciter des oppositions à caractère frontalier avec les Amérindiens.

On se rend bien compte que, là et ailleurs, les forces et les éléments en présence de même que les visions, passions et certains intérêts complètement contradictoires mènent inévitablement à court terme à des désaccords fondamentaux et à un cul-de-sac constitutionnel à moins que, de part et d'autre, on fasse des concessions importantes. Le Québec, par la voix du gouvernement Bourassa, a répété qu'il réintégrerait le giron constitutionnel si les cinq conditions suivantes étaient acceptées dans la Constitution et non à la suite de simples arrangements administratifs:

1. la reconnaissance du statut de société distincte;
2. la récupération du droit de veto;
3. la délimitation du pouvoir de dépenser du gouvernement fédéral;
4. une augmentation des pouvoirs du Québec dans le domaine de l'immigration;
5. la reconnaissance constitutionnelle des trois juges à la Cour suprême du Canada.

Le Québec ne veut pas que les pouvoirs de l'Assemblée nationale soient diminués sans son consentement, mais partage l'idée d'une harmonisation des politiques pour développer l'union économique canadienne.

Est-il possible de concilier ces conditions exprimées par le Québec avec les visions et les intérêts du Canada formulés dans les propositions faites par le gouvernement Mulroney, à la suite des conférences sur l'unité nationale et des travaux de la commission Beaudoin-Dobbie? Le Canada se dirige-t-il vers un autre cul-de-sac constitutionnel qui accélérerait son démembrement? La crise canadienne constitue-t-elle un dilemme à résoudre ou effectivement un nœud de vipères à délier? C'est possible. Des déclarations, comme celles du chef autochtone, Ovide Mercredi, selon lesquelles «le peuple québécois n'existe ni en fait ni en droit international, car un peuple ne peut pas être composé de plusieurs ethnies», mettent en lumière la diversité des visions et l'acuité des problèmes, de même que la nécessité de situer le débat dans une perspective où l'objectif est la recherche d'une sortie de crise plutôt qu'un enlisement ou une véritable débâcle.

De part et d'autre, on devra dépasser le conjoncturel et le structurel pour aborder finalement d'autres questions essentielles qui tiennent compte de l'analyse internationale et de la montée de rationalités nouvelles dans un univers en mutation. C'est ce qu'analysera le chapitre suivant.

CHAPITRE III

# LA VÉRITABLE PROBLÉMATIQUE DES SOCIÉTÉS DE DEMAIN:
le stade de l'analyse et des rationalités nouvelles d'un univers en mutation

Les visions pessimistes ou idylliques que l'on se fait du Canada et du Québec poussent plus d'un observateur à une forme de cynisme vis-à-vis de toute proposition qui ne corresponde pas soit au maintien du système fédéral actuel, soit à l'indépendance totale du Québec. Or, une réflexion sérieuse et sereine — entreprise difficile et téméraire dans des univers où règnent les passions et les intérêts — est indispensable même si cela soulève l'ire de clans solidement confortés dans des convictions exclusives.

Les arguments favorables ou défavorables à un Canada uni ou à un Québec souverain sont légion. Des dizaines d'ouvrages ont déjà été écrits et seront publiés encore sur la question. S'il faut toujours revenir au *Manifeste du mouvement souveraineté-association* de 1967 et au Livre blanc *Une nouvelle Entente Canada-Québec* du gouvernement de René Lévesque, à la veille du référendum de 1980, il reste que les deux analyses les plus consciencieuses et fouillées présentant les arguments favorables à la souveraineté du Québec sont toujours celle de Jean-Pierre Charbonneau et Gilbert Paquin, *L'Option* (Les Éditions de l'Homme, 1978) et celle de

Jacques Brassard, *L'accession à la souveraineté et le cas du Québec* (Éditions de l'Université de Montréal, 1976).

Quant aux arguments contre l'indépendance du Québec, il ne se passe pas un mois sans que ne paraisse une étude sur le sujet. Celle de l'économiste Patrick Grady, du Fraser Institute de Vancouver, *The Economic Consequences of Quebec Sovereignty*, parue en septembre 1991, est une de celles-là. Mais la plus percutante n'en demeure pas moins celle rédigée en 1980 par Maurice Lamontagne, *La réponse au Livre blanc du P.Q., le référendum piégé* (Montréal, Stanké, 1980).

Il est évident que trop d'analyses pour ou contre la souveraineté et l'indépendance du Québec sont des études qui ressemblent souvent à une thèse où l'on évoque des arguments qui cherchent à démontrer la validité des conclusions établies au préalable.

Objectivement, le Canada ne grince pas plus, sur les plans économique et social, que la très grande majorité des États du monde, bien au contraire. Le niveau de vie et le bien-être des Canadiens sont universellement reconnus et c'est pourquoi tant d'immigrants veulent venir s'y installer. En 1990, le «Population Crisis Committee» de Washington a classé Montréal, avec Seattle et Melbourne, au premier rang des mégacités où il fait bon vivre. Cette enquête, qui a porté sur plus de quarante-quatre pays, n'est pas mentionnée souvent dans les médias anglophones du Canada. En effet, ces derniers préfèrent traiter des problèmes divers de Montréal, lesquels, hélas, sont effectivement nombreux et fort inquiétants. Mais ces problèmes n'enlèvent rien aux avantages de la vie montréalaise qui est, selon cette étude, d'une qualité supérieure à celle qui existe ailleurs, du moins pour ceux qui peuvent en profiter.

Un exemple typique de ces analyses négatives de Montréal est paru sous le titre «The Decline and the Fall of Montreal» dans l'hebdomadaire *Financial Times* de Toronto, du 23 décembre 1991. Ce dossier n'affirme rien de faux mais, en faisant une sélection des faits, dégage une vision apocalyptique de Montréal. Quiconque a le moindrement voyagé aux États-Unis et à travers le monde sait bien que les dures réalités économiques que connaît Montréal présentement existent à peu près partout.

Le particularisme québécois est ailleurs. En effet, sur les plans politique et constitutionnel, du point de vue des Québécois et des autochtones, les grincements mentionnés plus haut deviennent des grondements. En général, ce n'est pas le Canada en soi qui effraie une majorité de Québécois, c'est son ossature constitutionnelle qui les cloisonne, une incompréhension culturelle qui les étreint et des volontés politiques qui les marginalisent.

En même temps, ce n'est pas un Québec indépendant qui effraie de nombreux Québécois. Ce qui les inquiète, aussi bien au Québec qu'au Canada et dans le reste du monde, c'est le manichéisme idéologique et le rapt des intelligences, le fanatisme et la haine, l'esprit bureaucratique et la crainte des compétences venues d'ailleurs, la vulgarité et le triomphalisme faciles, la manipulation de l'Histoire et le refus de dire les choses telles qu'elles sont, l'absence de sens critique vis-à-vis de trop d'idées et de gens, la glorification des amis qui pensent comme soi et la condamnation automatique de ceux qui pensent différemment de soi, le sectarisme suffisant, intolérant et condescendant de trop de gens plus assoiffés de visions édulcorées que de réalités à saisir clairement, plus de pouvoir étatique que de gestion efficace, anticipative et démocratique des sociétés; c'est la négligence du long terme de même que le recours à la facilité, aux clichés et aux stéréotypes; c'est la récupération des droits collectifs fort légitimes par des nationalistes plus engagés dans la spirale du pouvoir politique que dans la recherche de solutions aux problèmes économiques et sociaux.

S'il existe bien des motifs d'être très optimiste au sujet des avantages comparatifs du Québec à l'échelon mondial, on peut être très préoccupé, en revanche, dans le contexte nord-américain, par la baisse de la natalité au Québec, le vieillissement global de la population, l'appauvrissement et le dépeuplement des régions rurales, par l'acuité de plusieurs problèmes économiques et sociaux, à Montréal notamment, le chômage qui croît, l'abandon des études par plus de 39 pour 100 des jeunes inscrits au secondaire au moment même où huit des nouveaux emplois sur dix sont créés dans les secteurs tertiaire et quaternaire, lesquels exigent déjà une formation collégiale ou universitaire. Tous ces jeunes risquent, à moins d'un recyclage pertinent, de demeurer des marginaux dans la société postindustrielle.

En effet, de nombreux Québécois sont inquiets et très anxieux devant une forme d'intolérance psychologique face aux idées non reçues et une démagogie naissante et ronflante en divers milieux. Ils sont aussi préoccupés par la faiblesse de la productivité industrielle et de la compétitivité dans le contexte du libre-échange, de même que par le malaise économique croissant et la morosité qui s'est emparée d'une grande partie de la population à la vue des effets négatifs de la récession économique, du nombre exorbitant de faillites, à commencer par celles de Campeau, de Lavalin et des Coopérants, sans oublier la déconfiture d'Olympia & York des frères Reichman qui affecte de nombreuses institutions financières, dont la Banque Nationale, des fermetures de commerces, de mines, d'usines et de papetières qui font croître le chômage et qui entraînent une désindustrialisation trop rapide, du ralentissement des investissements étrangers, des problèmes rocambolesques entourant le Stade olympique, véritable tonneau des Danaïdes où s'engouffrent des millions et une fierté fort écorchée.

Ils songent aux effets négatifs à moyen terme résultant du nombre restreint d'experts économiques internationaux, des faibles investissements en matière de recherche, des positions vacillantes face aux autres minorités, en particulier les autochtones et les anglophones au Québec même, ce qui fait qu'un trop grand nombre de jeunes diplômés anglophones quittent le Québec ou boudent la fonction publique où ils ne se sentent pas les bienvenus.

En réalité, le Québec, tout comme le Canada d'ailleurs, commence à s'appauvrir économiquement par rapport à d'autres pays industrialisés. C'est une tendance fort inquiétante, surtout pour les populations peu scolarisées qui seront les plus touchées et qui risquent de devenir — trop le sont déjà — des assistés sociaux dans des milieux en voie de dépérissement économique où croissent misère et violence dont souffrent notamment de plus en plus de familles monoparentales et d'enfants. Ceux qui ne voient pas ou taisent cette triste situation qui existe au Québec se préparent des lendemains pénibles.

Or, si la situation économique et sociale est difficile dans bien des cas, elle n'est généralement pas plus mauvaise que celle qui prévaut dans la très grande majorité des autres pays, aux États-Unis par exemple, où la vie dans plusieurs grandes villes est devenue fort préoccupante. Même dans l'État le plus puissant du monde, on est arrivé, avec près de dix millions de chômeurs officiels, en 1992, à la fin des illusions économiques et à un début de désintégration du tissu social et de la stabilité traditionnelle, avec une croissance de la violence et de la pauvreté. Ces phénomènes poussent un très grand nombre de citoyens à s'interroger sur le sens et la pertinence de «l'American Dream» qui n'est pas ou plus à leur portée. Des situations semblables existent dans de nombreux autres pays industrialisés d'Europe.

Aussi bien au Canada tout entier qu'ailleurs dans le monde, le mot d'Alfred Sauvy sera de plus en plus d'actualité: «Si les richesses ne vont pas où sont les hommes, les hommes iront où sont les richesses.» La poussée des ressortissants des pays pauvres vers les pays plus riches deviendra de plus en plus manifeste et lourde de conséquences sociales, éthiques, économiques et politiques.

Pendant trop longtemps, le mieux-être des Canadiens et des Québécois a été fondé sur des matières premières dont ils ont hérité. Il aurait fallu dépasser plus rapidement le stade de «l'administration» de ces richesses pour mieux apprendre à «gérer un développement» axé davantage sur les services et la matière grise, lesquels exigent beaucoup d'éducation et de concertation entre les différents agents de progrès, ce que l'on vient enfin de découvrir, mais qu'il reste à mettre en œuvre pour sortir d'un marasme économique aux effets sociaux incalculables.

En fait, la crise économique de 1991-1992 aurait ressemblé beaucoup à la Grande Dépression des années trente, sans l'existence des programmes d'assurance chômage, d'assistance sociale, d'aide à la formation, des subsides aux industries et aux services, les programmes de création d'emplois, et sans le maintien artificiel de nombreux postes dans les services publics et parapublics.

\* \* \*

En revanche, on peut facilement évaluer l'extraordinaire chemin parcouru par le Québec, surtout depuis 1960, dans presque tous les domaines publics et privés. Ainsi, on peut juger de la vigueur de la démocratie, de la ténacité des entrepreneurs, de l'existence de programmes innovateurs, de progrès exceptionnels en matière d'éducation et de santé, de la promotion des femmes, de la créativité économique et culturelle qui ont placé le Québec au rang des sociétés modernes ayant un haut niveau de vie, avec une expérience de développement rapide et de «nation-building» qui ont suscité l'envie et l'admiration de tant de peuples à travers le monde, notamment dans le tiers monde francophone qui compte «sur» et «avec» le Québec et le Canada. On peut le constater facilement. Il n'est pourtant pas si difficile de saisir et de mesurer les atouts majeurs et les avantages du Québec et du Canada dans le monde contemporain.

Ceci n'empêche pas, en même temps, d'être mal à l'aise devant trop de «surgouvernabilité», d'actions des coalitions corporatistes, de primes à l'oisiveté et à la médiocrité, de piétinements constitutionnels, de dédoublements de programmes fédéraux et provinciaux, de dettes et de déficits publics qui taxent l'avenir des générations suivantes, de manques de leadership, de l'absence de masse critique d'expertises dans plusieurs domaines, d'exaspérations qui ne mènent nulle part, de frustrations inutiles qui sont de véritables accrocs à la liberté individuelle et à la dignité collective.

Par exemple, toutes les maladresses et les querelles au sujet des droits des anglophones au Québec, comme c'est évidemment le cas avec la Loi 178 sur l'affichage obligatoire en français à l'extérieur, ont des effets psychologiques et politiques majeurs. Les Anglo-Québécois demeurent, même si la plupart d'entre eux ne veulent pas l'admettre, une minorité linguistique très privilégiée par rapport à d'autres groupes minoritaires dans le monde. De toute évidence, ils sont très avantagés par rapport à la situation précaire des minorités francophones hors Québec, à l'exception du Nouveau-Brunswick, où il a fallu un siècle pour que les Acadiens, avec près de 40 pour 100 de la population, réussissent à obtenir le statut de province bilingue. Et même là, l'élection, en septembre 1991, de huit membres du Confederation of Regions Party avec 21 pour 100 du total des votes, aux élections provinciales du Nouveau-Brunswick, est le signal que le bilinguisme — très formel encore dans plusieurs milieux — risque de connaître bien des déboires. Or, les Acadiens en ont connu bien d'autres depuis la Grande Déportation de 1755! La montée du COR suscitera sans doute une poussée du militantisme acadien.

En réalité, la situation des francophones hors Québec est loin d'être comparable à celle des anglophones au Québec. Sait-on qu'un seul Canadien français sur deux, hors Québec, a accès à un cycle normal d'éducation en français? Et c'est pire dans les services sociaux, de santé et de justice! La règle du deux poids, deux mesures est une pratique courante en la matière dans un pays officiellement bilingue, du moins au palier fédéral. Ainsi, les 1 550 anglophones que compte la grande région de la ville de Québec, c'est-à-dire moins d'un pour cent de la population, ont droit à quatre écoles primaires, deux écoles secondaires, un collège, un hôpital et l'accès dans leur langue aux services de santé et de justice, sans oublier plusieurs chaînes de radio et de télévision en anglais et la possibilité de faire des études supérieures dans trois universités anglophones — aucune n'est officiellement bilingue — dans la province. Voilà une situation à laquelle les groupes de 1 500 francophones hors Québec peuvent rêver!

Le jour où les Premiers ministres des provinces anglophones autres que le Nouveau-Brunswick accorderaient autant de droits et de services en français à une minorité de 1 500 francophones, ils risqueront de soulever un tollé parmi des électeurs qui affirment, comme on l'a tant répété lors du débat entourant l'Accord du lac Meech, que le bilinguisme coûte trop cher! Mais jusqu'au jour où ils le feront, de nombreux Québécois douteront de la sincérité de leurs discours lorsqu'ils parleront d'égalité. En réalité, Orwell avait bien raison de dire que «tous sont égaux, mais certains sont plus égaux que les autres». Et au Canada, c'est la minorité qui est «la plus égale» qui affirme souffrir le plus d'inégalités!

Des Québécois francophones s'interrogent souvent sur les raisons qui les poussent, d'une part, certes avec des réserves dans certains domaines, à être si fiers du Canada à l'étranger, notamment de son rôle international, car ils l'ont vu à l'œuvre aux quatre coins du monde, mais, d'autre part, sur les motifs qui les incitent à être si critiques de ses convulsions internes. C'est un dilemme que partagent, en réalité, une majorité de Québécois qui voudraient, sinon régler ce problème, du moins en atténuer les effets négatifs, car ils savent que rien n'est parfait nulle part dans le monde et qu'il est indispensable de bien évaluer leur situation et leurs actions sans perdre le sens de la perspective et de l'équilibre. Il s'agit d'un exercice difficile lorsque les passions et les intérêts tentent de prévaloir sur la raison et le sens de la mesure.

Dans de telles circonstances, les réflexions sereines sont des exercices qui tiennent parfois de la haute voltige. Des gens qui sont modérés et mesurés dans leur milieu deviennent souvent des passionnés lorsqu'ils sont confrontés à d'autres personnes qui ne comprennent rien à leur problématique fondamentale et qui font preuve d'une méconnaissance non seulement du passé, mais aussi des réalités contemporaines.

C'est évidemment ce qui pousse présentement un très grand nombre de Québécois francophones à souligner qu'ils sont «tannés» et que mieux vaut en finir le plus rapidement possible.

* * *

Or, comment sortir d'une impasse dictée principalement par des «passions d'être» et des «désirs d'avoir»? Est-il possible d'y arriver autrement que par des cassures brutales qui inquiètent de plus en plus d'observateurs étrangers? Si, pensent-ils, un pays aussi avantagé matériellement et intellectuellement, si un État aussi démocratique que le Canada n'arrive pas à régler ses problèmes internes, comment vont survivre tant d'autres États multiculturels moins favorisés dans le monde? Évolue-t-on vers un chaos généralisé à l'échelon mondial lorsqu'on songe qu'il existe trois mille groupes linguistiques sur la terre? Pour mieux s'en convaincre, on n'aura qu'à jeter un coup d'œil sur le volume de Michel Malherbe, *Les langages de l'humanité, une encyclopédie des 3000 langues parlées dans le monde* (Seghers, 1983).

Naturellement, si les peuples ont un droit à l'autodétermination, comme l'individu a droit à la liberté, il n'est pas prouvé que les trois mille groupes doivent nécessairement l'exercer, même s'ils en avaient théoriquement et pratiquement la possibilité. C'est moins la reconnaissance de ce droit qui est en cause que sa mise en œuvre. Si le droit international affirme des normes générales en la matière, il est évident que la naissance des États tient compte aussi de situations géopolitiques et socio-économiques très particulières. Ainsi, le cas du Canada et du Québec mérite des lectures «canadienne» et «québécoise» qui reflètent leur caractère *sui generis* en plus d'une acceptation d'un principe juridique reconnu. Il en va de même des autochtones.

Si, d'un côté, la compréhension de la crise canadienne et québécoise exige une reconnaissance des «passions d'être» et des «désirs d'avoir», d'un autre côté, la recherche de solutions pratiques nécessite en même temps un appel à la raison. Les Grecs considéraient le *logos* comme le principe intelligent, rationnel qui règle et qui dirige les êtres et le cosmos, impliquant que le monde n'est pas chaos mais ordre et harmonie. Naturellement, comme la science contemporaine l'a montré, ce cosmos n'exclut pas un certain désordre. D'ailleurs, tous les États, quels qu'ils soient, subissent certains désordres; parmi ceux-ci, les défaillances dans les systèmes d'éducation, de justice, de sécurité et de santé sans oublier les problèmes, quasi généralisés dans le monde, de l'économie, de la drogue, de la violence, de la corruption et des méfaits en matière d'environnement; et que dire des problèmes de la faim, de la misère et des conflits, dans le tiers monde en particulier?

Le prix Nobel de chimie, Illya Prigogine, soutient cependant que le désordre n'est pas un état naturel, mais au contraire un stade précédant l'émergence d'un ordre plus élevé. Mais est-il possible d'appliquer cette théorie aux sciences humaines et aux comportements sociaux? Ces comportements seront-ils influencés par la nouvelle physique et la nouvelle logique qui rejoignent Leibniz et contestent Descartes, en voulant mener à une fusion plutôt qu'à une séparation du matérialisme et du spiritualisme, ainsi qu'à une réconciliation du réalisme et de l'idéalisme? En fait, selon les recherches de pointe, il faut tenter de créer, comme le démontrent Jean Guitton et les frères Bogdanov, dans *Dieu et la Science* (Grasset, 1991), une nouvelle harmonie «entre ce qui est *cru* et ce qui est *su*».

Ainsi, des Canadiens et des Québécois *croient* passionnément aux vertus et aux virtualités soit du Canada, soit du Québec. Ils doivent cependant *savoir* ce que leur réserve l'univers des pluralités et des complexités de demain. En réalité, l'humanité entre dans une ère et un univers où rien ne sera uniforme ou linéaire. Le monde de demain sera à la fois plus riche mais aussi plus pauvre; plus homogène technologiquement mais plus hétérogène humainement; plus juste et aussi plus injuste; plus pacifique et aussi plus violent; plus structuré mais plus difficile à gérer; un monde où, en un siècle (1920-2020), la population mondiale passera d'un peu moins de deux milliards à plus de huit milliards d'habitants dont 80 pour 100 vivront dans un tiers monde plus diversifié mais toujours globalement appauvri; un monde où, malgré leur cohabitation, les approches «révolutionnaires» et «réactionnaires» laisseront place, du moins dans les pays industrialisés, à de nouvelles tendances et actions réformatrices axées sur des concepts «évolutifs» et «dévolutifs»; où la technologie rétrécira à la fois la planète et élargira notre univers spatial, sous-marin, intellectuel, scientifique et spirituel; où les concepts d'État, de souveraineté absolue seront de plus en plus remis en cause, mais où l'internationalisme ne réduira pas pour autant l'affirmation de nationalités et l'apparition de nouveaux patriotismes régionaux; un monde où haut standard de vie n'équivaudra plus nécessairement à qualité de vie dans une économie qui se «financialise» de plus en plus et où la part des ressources naturelles et des biens semi-finis ou fabriqués diminuera dans les échanges mondiaux au profit des services et des connaissances qui sont intarissables, contrairement aux matières premières; où l'on travaillera plus avec son cerveau qu'avec ses mains; où l'on ne parlera plus uniquement d'emplois salariés mais beaucoup d'occupations rémunérées; un monde où le savoir et le savoir-faire occuperont autant, sinon plus de place, que la puissance physique et militaire traditionnelle.

Chaque jour, des transformations apparaissent dans les modes de vie, surtout dans les pays industrialisés, où l'on s'éloigne lentement mais sûrement des concepts et des comparaisons des niveaux de vie entre les États, car ils ne tiennent pas compte des coûts et de la qualité de la vie. On comprend mieux qu'il ne sert plus beaucoup d'avoir des salaires moyens de trente mille dollars par année s'il en faut davantage pour bien vivre. Or, en dépit de toutes ses difficultés, le Canada, selon de récentes études de l'ONU, se situe au premier rang des pays industrialisés pour le meilleur rapport entre les revenus nets et le niveau réel de vie, c'est-à-dire la part de revenu requise pour payer le logement, la nourriture, les vêtements, les loisirs, les soins de santé et l'éducation.

En effet, importe-t-il d'être riche matériellement si on n'a pas la santé, si le milieu où l'on vit est pollué outrageusement, n'est pas sécuritaire et où on ne peut élever normalement ses enfants? Par conséquent, les notions de qualité de vie deviendront à l'avenir aussi importantes que celles liées au strict niveau de vie.

Or, des comparaisons fondées essentiellement sur les niveaux de vie ont conditionné le comportement des individus et des États depuis la mise en place du système de Bretton Woods (FMI, Banque mondiale) et de San Francisco (Nations unies) à la fin de la Seconde Guerre mondiale. On a progressivement défini des critères quantifiables — taux de croissance, revenus *per capita* et des ménages, produit national brut, taux d'intérêt, valeur du dollar, niveau des importations, des exportations, des investissements, taux d'inflation et d'épargne, taux de chômage et de création d'emplois, variation des prix, niveau des déficits budgétaires et commerciaux, celui de la dette publique, la tenue des places boursières et bien d'autres indicateurs, dans le but d'évaluer la richesse et la pauvreté matérielle des États.

À l'avenir, on tiendra compte et on cherchera à comptabiliser d'autres critères aussi importants — la liberté, la démocratie, la santé, l'éducation, la sécurité — qui sont plus difficilement quantifiables. Le Programme des Nations unies pour le développement (PNUD) a commencé à le faire depuis 1990. Ce phénomène ira en s'approfondissant.

Le Canada et le Québec sont en effet entrés de plain-pied dans un univers qui, loin d'être simple, par-delà toute globalisation, va devenir de plus en plus complexe et diversifié autant sur le plan humain que sur le plan matériel. Dans le monde des idées comme dans celui des faits et des projets, les certitudes des uns deviendront les servitudes des autres. Si le Québec et le Canada doivent tenir compte de ces mutations internationales, il faut faire, néanmoins, une analyse typiquement canadienne et québécoise de leurs problématiques. L'expérience des autres est parfois utile dans certains cas, mais globalement futile; en fait, le mimétisme est nuisible ou dérisoire, étant donné qu'il entretient de fausses espérances ou de fausses craintes tout en présentant des schémas institutionnels qui sont complètement désincarnés socialement.

Les risques de blocage et de dérapage sont donc nombreux. Ainsi, si l'on persiste à concevoir l'avenir du Canada et du Québec uniquement en termes étatiques, de la façon dont l'État a été conçu depuis le traité de Westphalie en 1648, mieux vaut se préparer à de sérieux affrontements. Si, au contraire, on accepte, comme le reconnaît maintenant le nouveau droit international, que la notion de «compétence dévolutive» se substitue à celle de «souveraineté absolue» — laquelle n'existe à peu près plus nulle part — alors, on pourra faire avancer le débat. Ce nouveau concept de «la compétence» individuelle et collective se transpose de plus en plus en termes juridiques à l'échelle internationale.

Les profondes mutations que connaît le monde et la rapidité avec laquelle les crises et les changements surviennent, depuis l'introduction des concepts de «glasnost» et de «perestroïka», depuis la chute du mur de Berlin, la fin de la guerre froide, l'effondrement du communisme en Europe, la décomposition de l'URSS et de son empire en Europe de l'Est, le départ de Gorbatchev, la création de la Communauté des États indépendants, la guerre du Golfe avec ses répercussions au Moyen-Orient, le début d'un dialogue israélo-palestinien, la montée des fondamentalistes musulmans, l'enlisement de l'Afrique noire et les changements en Afrique du Sud, l'endettement de l'Amérique du Sud et le regain de la démocratie, sans oublier les crises profondes au Pérou et en Haïti, les restructurations en Asie avec la puissance grandissante du Japon, les sursauts en Chine et en Inde, le retour de Sihanouk au Cambodge, le traité de Maastricht en Europe, les nouvelles rivalités économiques entre les États-Unis, le Japon et l'Europe, l'élection de Boutros Boutros-Ghali au poste de secrétaire général de l'ONU, bref la recherche de ce que d'aucuns appellent un nouvel ordre (ou désordre?) mondial politique, géostratégique, économique, monétaire et commercial qui remet en cause «l'Est-Ouest» et le «Nord-Sud» sous plusieurs aspects, démontrent, hors de tout doute, les limites de l'État traditionnel pour entrer de lui-même dans un village global de transitions et transactions rapides à la fois.

En effet, tous les États acceptent de limiter leur souveraineté, notamment en matière technologique, commerciale, économique et stratégique. C'est notamment le cas des pays européens avec la mise en œuvre, en 1991, de l'accord de Schengen en matière d'immigration et de sécurité au sein de la Communauté européenne. Certes, plusieurs contestent cette nouvelle réalité, cette nouvelle vérité. Arthur Kœstler voyait juste en écrivant: «L'ultime vérité fait toujours figure d'erreur en avant-dernière analyse. Celui qui aura raison, en fin de compte, paraît souvent avoir tort dans sa pensée et dans ses actes.» Il en va de même pour «la compétence» entendue à la fois comme un état d'esprit, une situation de fait et une notion juridique.

Étaient anathèmes, hier, tous ceux qui croyaient que le Québec pourrait, sans détruire la politique étrangère du Canada, participer aux activités de la francophonie. Et pourtant, tous vivent cette réalité aujourd'hui. Ainsi, il apparaît que l'endogénéité dynamique québécoise se fera, se concrétisera de plus en plus, sur les plans interne et international, dans la redéfinition progressive d'une endogénéité canadienne. Les deux entités changeront considérablement *de facto* et *de jure*. Pourquoi?

Pratiquement, à cause des grands courants qui agitent profondément le Canada anglophone, le Québec francophone et les nations autochtones; à cause des forces pragmatiques internes au Québec et au ROC; à cause des réalités stratégiques, technologiques, scientifiques, économiques, commerciales et financières; à cause de considérations à caractère international; à cause des mutations profondes dans les fonctions et les caractères de l'État postindustriel; à cause de nouveaux types de rapports de force qui commencent à agiter les sociétés avancées dans leur développement, dans la recherche de leur progrès et l'affirmation de leur originalité culturelle.

Mais fondamentalement, les changements, tout comme le maintien de plusieurs organes politiques, ententes, programmes et projets, de même que le souci de garder des actions efficaces et une économie vivace, au-delà de symboles et d'institutions qui peuvent changer, dépendront du nouveau système de réseaux de plus en plus informatisés et intégrés et du monde matriciel dans lequel nous entrons. Il reste à voir si l'on pourra maîtriser ce monde matriciel qui naît rapidement sous nos yeux pour dégager une porte de sortie à l'impasse actuelle.

Le monde de demain sera celui des «compétences dévolutives» entre de nombreux réseaux nationaux et internationaux qui devront eux aussi tenir compte de milliers, sinon de millions de nouveaux réseaux interindividuels et intersociétaires axés autour des intérêts les plus divers tels que le monde de la finance, celui de la production, de la transformation et de la circulation de différents biens et services, le monde des sportifs, des religieux, du spectacle, de l'information et de l'informatique, celui de l'éducation, de la recherche et de la santé, celui des problématiques telles que la drogue, le sida, la violence, le terrorisme, l'environnement, pour n'en donner que quelques exemples.

De nombreuses personnalités politiques au Canada, au Québec et ailleurs se méprennent sur les comportements des citoyens en s'imaginant que leurs options et leurs choix sont déterminés par un ou deux motifs facilement identifiables, soit culturel, soit territorial. Il suffit d'entrer chez un marchand de revues et de journaux pour voir que les intérêts sont de plus en plus diversifiés. Les autonomies des consciences et les nouveaux centres d'intérêts explosent partout et créent de nouveaux types d'actions qui, en transcendant les frontières, établissent de nouvelles solidarités internationales dans les domaines les plus divers, depuis la course automobile jusqu'à la protection de la couche d'ozone et les événements au Tibet. Le Dalaï-Lama et surtout le Pape, par leur ascendant personnel et spirituel, exercent une influence bien supérieure à celle de nombreux chefs d'État et de gouvernement. Il en va de même de plusieurs mouvements et associations, tels Amnistie internationale et Greenpeace, qui suscitent de véritables engagements internationaux chez leurs membres.

De telles pratiques ne tardent pas à avoir des effets juridiques en faisant naître inévitablement des contentieux nationaux et internationaux, lesquels exigent l'adoption de nouvelles réglementations nationales et ententes interétatiques. Éventuellement, on assiste à l'élaboration de nouvelles normes à caractère constitutionnel qui écartent la notion traditionnelle de la «souveraineté absolue» pour retenir celle de la «compétence dévolutive».

La reconnaissance formelle de la «compétence dévolutive» implique cependant l'acceptation du principe de la subsidiarité mis en avant dans la CEE et celui de la délégation de pouvoirs, aussi bien du pouvoir central ou international vers tous les États-membres ou quelques-uns d'entre eux, que l'inverse. La subsidiarité veut que l'on laisse à un autre palier d'autorité des compétences qu'il peut exercer non seulement avec efficacité, mais aussi dans le respect des intérêts et des aspirations des populations. Si on retenait ces principes au Canada, ceci permettrait à Ottawa de transférer au Québec les pouvoirs minima constamment réclamés avec responsabilité fiscale, alors que des provinces anglophones pourraient déléguer à Ottawa certains des leurs, comme ce fut le cas plusieurs fois dans le passé, notamment pour le régime des rentes.

Le concept de l'égalité complète des provinces est beaucoup plus une vision de l'esprit qu'une réalité comme en fait état, dans plus d'une quinzaine de domaines, le rapport du Conseil économique du Canada, de 1991. Ainsi, l'article 133 de la *Loi constitutionnelle de 1867* ne s'applique directement qu'à Ottawa et au Québec, (et indirectement au Nouveau-Brunswick et au Manitoba par d'autres dispositions constitutionnelles) alors que Terre-Neuve, en adhérant à la fédération en 1949, a fait reconnaître ses traits particuliers dans au moins huit domaines, notamment ceux de l'éducation et de l'assistance financière. Le Premier ministre Wells voulait bien qu'on continue à reconnaître le caractère distinct de sa province, mais il s'est acharné à ne pas reconnaître celui du Québec lors des discussions menant à l'échec de l'Accord du lac Meech. Son opinion semble avoir changé, mais à la condition de définir et de contenir de façon précise ce concept.

Alors que les Québécois, dans leur ensemble, voudraient donner beaucoup de substance à la notion de société distincte, la très grande majorité des Canadiens anglais voient là un cheval de Troie qui pourrait éventuellement accorder des droits spéciaux aux Québécois, surtout à la suite d'interprétations généreuses des tribunaux. En réalité, à l'échelon international, des États-membres de plusieurs fédérations, comme les États-Unis, la Malaisie et même la Suisse, ont des statuts différents. Il est étonnant qu'on s'obstine, dans certains milieux, à clamer le contraire au Canada.

Théoriquement, l'établissement de statuts constitutionnels asymétriques pourraient découler de décisions prises par des conférences fédérales-provinciales, mais on peut en douter beaucoup, car les passions et les intérêts sont incompatibles. Pour de nombreux Canadiens anglais, reconnaître le principe de l'asymétrie, c'est «donner trop» au Québec et faire un pas dans la direction d'un inacceptable confédéralisme alors que, pour les indépendantistes, ce n'est pas «obtenir assez».

Si l'idée d'une négociation où le Québec pourrait menacer le Canada est une analyse fort peu réaliste, il est plausible que, dans le cas où une majorité de Québécois répondrait «oui» à l'idée d'une éventuelle souveraineté-association, un nouveau rapport de forces pourrait alors s'instaurer entre le Canada et le Québec. Une acceptation d'un projet clair ou ambigu portant sur la souveraineté ou un refus des offres du Canada équivaudrait probablement moins à un engagement en faveur d'une séparation pure et simple — toujours possible néanmoins — mais davantage à un vote de grève qui, après sa mise en œuvre, mènerait à une nouvelle forme de négociations collectives Canada-Québec. Il est pensable, mais rien n'est assuré, qu'on tenterait alors d'échapper au chaos et d'éviter les bouleversements mentionnés précédemment, en particulier l'ouverture d'un contentieux qui dépasserait même les calculs les plus raffinés établis jusqu'à présent et qui constitue, à n'en pas douter, un des obstacles les plus concrets à une sécession de type classique.

Si l'on peut d'ores et déjà analyser un partage éventuel des actifs et des dettes, il est fort hasardeux, en revanche, de tenter de prédire en pourcentage les coûts économiques d'une sécession; les experts qui le font et dont les évaluations varient de 0 pour 100 à 15 pour 100, voient sûrement à travers des boules de cristal; or, personne ne peut prévoir les événements, les réactions et l'environnement de demain de façon précise; leurs courbes économétriques, dans ce domaine, ont autant de valeur scientifique que des analyses faites à partir des lignes de la main! Elles démontrent cependant le caractère relatif des prévisions économiques et la facilité avec laquelle il est possible de les sélectionner et de les interpréter; c'est là qu'on a la preuve éclatante que l'économie est loin d'être une science exacte, mais est encore très humaine.

En cherchant à éviter des incompréhensions et de graves problèmes aux échelons mondial et canadien, on se décidera peut-être, cette fois, à chercher des solutions qui tiendront compte des concepts «d'endogénéité» et d'une «compétence dévolutive» à la fois nationale et internationale pour le Québec.

De leur côté, les Québécois francophones, optant pour un maximum, pourront peut-être obtenir le minimum qu'ils considèrent essentiel et vital non seulement pour leur survie culturelle, mais aussi pour leur progrès économique dans un monde pluriculturel. C'est là que se retrouvent le véritable défi en même temps que le véritable pari autour desquels s'articule le profond dilemme québécois. Peut-on faire l'économie de l'indépendance formelle pour pouvoir bénéficier de la politique de la compétence réelle? Est-ce une illusion ou une attitude réaliste d'anticipation dans un univers en mutation?

Le refus de l'imagination et l'imagination du refus sont les chemins les plus sûrs vers des confrontations brutales et violentes que peu de gens sérieux et sereins peuvent souhaiter, mais qui sont toujours possibles. Seuls ceux qui se ferment complètement les yeux devant ce qui se passe à l'échelon mondial peuvent être certains du contraire. D'ailleurs, ici comme ailleurs, il est toujours plus facile de détruire que de construire. John F. Kennedy avait bien décrit ce phénomène en soulignant: «Those who make peaceful revolution impossible will make violent revolution inevitable.»

Les exemples d'absence, de recherche et d'existence de solutions, dans ce domaine, abondent dans un monde qui compte plus de trois mille groupes ethniques, mais seulement deux cents États. À côté de sociétés dont la langue et la culture sont opprimées ou non reconnues, de nombreux statuts et systèmes particuliers ont été implantés aussi bien dans des États unitaires, tels le Val d'Aoste en Italie et l'Écosse au Royaume-Uni, ou dans des pays fédéraux, comme c'est le cas de Porto Rico aux États-Unis. Le cas des régions en Espagne et le nouveau régime constitutionnel de la Belgique sont aussi fort intéressants à cet égard.

D'ailleurs, ce n'est pas seulement là mais bien dans le caractère de la souveraineté ou de la compétence interne et internationale de l'État lui-même que l'on constate une grande diversité; les cas de la République de Monaco, de San Marino, du Saint-Siège, du Liechtenstein, d'Andorre, sans oublier celui de plusieurs États du Pacifique Sud, notamment ceux de Tonga, de Nauru, de Niue et Tokelau, sont fort spécifiques. Et que dire de celui de Taïwan! Le monde s'accommode aujourd'hui de nombreux statuts étatiques et il est certain qu'on en inventera d'autres demain. Ainsi, plusieurs souhaitent que Jérusalem ait le statut de ville internationale, comme ce fut le cas de Trieste ou de Tanger, autrefois.

Ce qui ressortira demain de l'Europe des douze et de l'Europe des dix-neuf, c'est-à-dire du nouvel Espace économique européen, qui, selon l'Accord de 1991, prévoit une coopération plus étroite entre les douze membres de la Communauté européenne et les sept pays de l'Association européenne de libre-échange, mérite un examen sérieux, car on tentera des démarches et des formules constitutionnelles différentes de ce à quoi l'Histoire nous a habitués. Ceci ne veut pas dire que ces formules soient applicables au Canada, mais démontre que l'on peut avoir des démarches différentes de celles qui prévalent maintenant.

En un mot, c'est l'acceptation ou le refus d'examiner des formules originales et *sui generis* qui fera toute la différence entre une sortie de crise ou un enlisement. Le Livre vert du gouvernement Mulroney se présentait, en 1991, au départ, comme un pas dans cette direction; cependant, il avait peu de chances d'être accepté au Québec, pour trois raisons principales: d'abord, parce qu'il était une réponse strictement juridique à un problème qui est surtout de nature sociologique et politique; en second lieu, parce qu'il restreignait l'essence même du caractère distinct du Québec; et enfin, parce qu'il reflétait toujours une conception quantitative et mathématique plutôt que paritaire et analogique de l'égalité entre les provinces. Si ces propositions ont avivé les passions et les oppositions, elles ont néanmoins fait avancer le concept de l'asymétrie constitutionnelle, et surtout la cause des Premières nations.

En réponse aux critiques, le gouvernement Mulroney fit donc des concessions à son projet d'union économique, de droits inhérents des autochtones et de partage des pouvoirs. L'idée des pouvoirs concurrents avec prédominance provinciale fit surface. Pour sa part, le gouvernement Bourassa répliqua aux attaques du Parti québécois en réitérant que le Livre vert d'Ottawa constituait une base de négociation et non des offres finales. Le Parti québécois soutenait, non sans raison dans la plupart des cas, que ces propositions représentaient un recul par rapport à celles de l'accord avorté du lac Meech, surtout en ce qui concerne le droit de veto et la réduction du concept de société distincte du Québec, de même que par rapport à celles concernant le Sénat et la Cour suprême, le pouvoir de dépenser du gouvernement central, les six domaines où Ottawa se disait prêt à reconnaître une compétence exclusive aux provinces et les dix autres moins importants sur lesquels on pourrait amorcer des pourparlers.

D'autre part, les recommandations de la commission Beaudoin-Dobbie, à la fin de février 1992, suggérant la reconnaissance du caractère distinct du Québec et des droits inhérents des autochtones, l'adoption d'un pacte social, d'un pacte économique et d'un sénat élu, la nomination de trois des juges du Québec à la Cour suprême, de même qu'un projet de partage des pouvoirs dans plus de vingt-quatre domaines, présentaient de nouvelles approches. Mais les nombreuses réactions négatives que ce rapport a soulevées, de part et d'autre, ont montré que le gouvernement Mulroney se devait de bonifier ces offres, en particulier au chapitre de la répartition des compétences législatives pour répondre aux requêtes minimales du Québec, car même le Premier ministre Bourassa manifesta sa déception devant un projet qualifié de «fédéralisme dominateur».

En relançant son projet de «deux États souverains associés dans une union économique laquelle serait responsable devant un parlement élu au suffrage universel» — un peu à l'image de la Communauté européenne — monsieur Bourassa a de nouveau brouillé les cartes. Mais cette idée qui suscite un intérêt partagé dans le public, qui n'en saisit pas complètement le sens et surtout la portée, démontre encore l'ambivalence des sentiments et l'acuité du dilemme qui étreint le Québec face à une restructuration étatique qui reflétera mieux sa situation socioculturelle.

* * *

Comment transposer, en termes juridiques et étatiques, cette réalité socioculturelle? Tel est le sens profond d'un défi qui doit tenir compte non seulement des structures, mais aussi de la nature de l'État de demain. C'est une évidence: la majorité des États, dans le monde contemporain, vivent un mal-d'être, quelle que soit leur structure ou leur nature: États unitaires, États fédéraux, États monarchiques, États républicains, États socialistes, États capitalistes, États démocratiques, États dictatoriaux, États-gendarmes, États-providence, États développés, États sous-développés. De plus, il suffit de lire les rapports annuels d'Amnistie internationale pour se rendre compte qu'environ une quarantaine seulement sur cent quatre-vingts États respectent en pratique les droits de la personne! Le Canada, y compris le Québec, est un de ces quarante États. Trop de gens oublient combien les Canadiens et les Québécois sont globalement privilégiés par rapport à la majorité de la population mondiale dont ils ne forment, à l'échelle canadienne, qu'un demi de un pour cent et, à l'échelle québécoise, qu'un dixième de un pour cent!

Or, personne n'échappe maintenant au système étatique et interétatique, bien que l'État, que certains conçoivent erronément comme la finalité suprême de la société civile, soit un sujet de droit qui ne monopolise plus la vie nationale et internationale. Si c'était vrai, il y aurait des milliers d'États. D'autres genres d'entités politiques, telles les cités, les royaumes, les territoires féodaux, les protectorats, les territoires sous mandat et tutelle, et les empires ont déjà existé avant et à côté de l'État. De nombreux peuples nomades ont vécu pendant des siècles hors de structures politiques établies autres que leurs mœurs et coutumes.

D'autres formes d'entités apparaissent progressivement et contestent non seulement le rôle traditionnel de l'État, mais aussi sa capacité d'exercice, surtout à l'échelle internationale. Les organismes internationaux, les firmes multinationales, les associations internationales, les mouvements internationaux, les opinions publiques internationales prennent une place de plus en plus importante dans la vie nationale et les rapports internationaux. D'ailleurs, les individus eux-mêmes, grâce à la nouvelle technologie, deviennent souvent sans le savoir des agents internationaux qui transcendent les frontières, sans avoir même à se déplacer. Le commerce des services,

notamment financiers, a révolutionné les échanges internationaux.

S'il est utopique, aujourd'hui, de rejeter le concept
étatique, il est aussi irréaliste et irresponsable d'accepter
d'emblée n'importe quel type d'État. Il en est de même des
assertions simplistes et naïves voulant que les petits ou les
grands États soient globalement ou *a priori* bons ou mauvais,
efficaces ou inefficaces, heureux ou malheureux, vertueux ou
impérialistes. Ce n'est pas la taille géographique ou la taille
démographique d'un État qui détermine son développement
ou son sous-développement, son bonheur ou son malheur,
mais bien les actions des citoyens et des institutions ou des
actes de la nature.

Les États sont façonnés prioritairement par des individus
et deviennent ce qu'en ont voulu ceux-ci, avec ou sans grandes ressources naturelles. De plus, la conquête du pouvoir
politique et la création des États ont suivi des chemins multiples et tortueux. Il n'y a pas une seule voie. Cependant,
l'Histoire montre que «pouvoir» et «État» sont toujours liés
à l'existence de forces et d'entités de même qu'à une forme de
reconnaissance de l'autorité de celle-ci ou à l'incapacité
d'autres entités d'empêcher la naissance et l'exercice de cette
nouvelle autorité socio-politique.

D'ailleurs, il n'est pas impossible qu'à l'avenir, la configu-
ration des États ou d'autres formes étatiques soient établies
de façons différentes de celles que l'on a connues jusqu'à
présent. Ainsi, à côté de facteurs géographiques comme les
fleuves, les rivières, les océans, les chaînes de montagnes et
d'autres types de formations naturelles, à côté des décisions
à caractère strictement politique et géostratégique, comme ce
fut le cas lors du partage de l'Afrique, à côté des actions
militaires qui ont déterminé les frontières de nombreux États
ou d'autres entités, il n'est pas improbable qu'apparaissent, à
l'avenir, des facteurs plus fonctionnels et même plus ration-
nels qui correspondraient aux véritables besoins des populations ainsi qu'à la recherche de solutions aux problèmes de
nombreuses sociétés. Les explosions démographiques, de

même que des crises de différentes natures, vont provoquer des changements profonds qui feront naître de nouveaux types d'États ou des États qui seront organisés et gérés différemment.

On verra probablement apparaître d'autres entités internationales, comme ce fut le cas dans le passé. Il existait une vingtaine d'organismes intergouvernementaux en 1945. On en compte plus de cinq cents aujourd'hui. Quant aux organismes internationaux à caractère non gouvernemental, on en dénombre déjà plus de treize mille, alors qu'il y en avait moins de trois mille, au lendemain de la Seconde Guerre mondiale. Compte tenu de l'accélération du processus historique, d'autres formes d'entités verront peut-être le jour dans un avenir qui n'est pas si lointain. Et ceci n'a rien à voir avec la science-fiction, mais avec une appréhension d'un monde en profonde mutation. Ce qui est fondamental ici, c'est la propension à voir un univers qui change plutôt qu'un monde arrêté.

Face, d'une part, à des idéologues qui voient dans l'État la réponse à tous les problèmes nationaux et mondiaux — l'échec du communisme leur ouvrira peut-être les yeux — et, d'autre part, face à des Néo-Libéraux dont certains veulent réduire l'État à sa plus simple expression, au nom d'une nouvelle éthique du marché déréglementé dont plusieurs aspects sont profondément antisociaux, car ils sous-entendent bien des cupidités individuelles et prônent la survie des plus forts, il serait plus sage et plus réaliste d'être en état de recherche d'une société plus compétente, plus équitable, plus libre, plus ouverte au monde, laquelle, selon le cas, peut déboucher ou non sur un État.

Premièrement, un État de type classique — c'est-à-dire unitaire, fédéral ou même confédéral (le monde n'en a pas connu depuis fort longtemps, mais la nouvelle Communauté des États indépendants s'en rapproche); deuxièmement, un État ou une entité du modèle de la Communauté européenne; enfin, une entité d'un «troisième moule» comme on en verra probablement au XXIe siècle, alors que les fonctions straté-

giques et macro-économiques seront de plus en plus déléguées ou exercées *de facto* par des entités supra-étatiques ou
externes, alors que les fonctions politiques, sociales et micro-
économiques demeureront l'apanage de nombreux États. Ces
deux derniers types d'États seront fondés évidemment sur la
«compétence dévolutive» plutôt que sur «la souveraineté
absolue».

La question fondamentale restera toujours de déterminer
où résidera «le pouvoir de décision» en première et en dernière analyse, mais pas nécessairement en matière de levée
des impôts, de capacité de légiférer et de conduite de relations
internationales, comme le prétendent les porte-parole de la
souveraineté absolue. Cette étape est déjà dépassée dans
l'Europe des douze.

Certes, si le pouvoir ultime doit résider dans la population, son exercice devient fort complexe au niveau des
grandes entités internationales qui exercent des pouvoirs
considérables dans la vie de citoyens sans que ceux-ci soient
le moindrement consultés. Davantage de compétences
— songeons au FMI, à la Banque mondiale, au GATT —
sont déléguées à ces entités qui agissent ensuite de plus en
plus selon leur propre initiative et leur propre autorité. On
évolue vers des partages de compétences où existent déjà de
nombreuses zones grises que trop de gens, dont les attitudes
sont fondées d'abord sur un pouvoir clair et simple et son
contrôle, ne voient pas ou plus précisément ne veulent pas
voir, car ils n'acceptent pas les réalités complexes ou ne peuvent les appréhender et encore moins les articuler.

Certains des États existant aujourd'hui pourront disparaître pour différents motifs que personne ne peut prévoir, et
d'autres naîtront sous des formes diverses. Conséquemment,
il sera normal d'avoir des convictions pro- ou anti-étatiques
selon les problématiques de chaque situation. Quoi qu'il en
soit, l'État démocratiquement formé et élu doit et devra garder son rôle d'arbitre social. Comme on le verra, les dimensions et les fonctions territoriales, stratégiques, politiques,
sociales, juridiques, culturelles, économiques et surtout

managériales de l'État n'évoluent pas de façon synchronisée partout sur la planète, même si les pays industrialisés connaissent une évolution et des problèmes de plus en plus analogues. L'ouvrage de René Lenoir et Jacques Lesourne, *Où va l'État, la souveraineté économique et politique en question* (Éditions Le Monde, 1992) le démontre abondamment.

\* \* \*

En présence de ce qui se passe ailleurs dans le monde, que ce soit dans la nouvelle Communauté des États indépendants, en Yougoslavie, en Somalie, en Éthiopie, en Inde, pour ne citer que quelques cas, de nombreux observateurs étrangers croient que Canadiens et Québécois ont la responsabilité internationale de régler leur avenir constitutionnel de façon pacifique, démocratique et sans remettre en cause leur stabilité économique et sociale. C'est un lourd cahier des charges! Impossible, soutiennent plusieurs qui refusent obstinément d'examiner d'autres options que la souveraineté absolue ou le fédéralisme classique sous prétexte, dans le premier cas, que c'est la seule façon d'aller au fond de ses convictions individuelles et d'atteindre la dignité en tant que peuple de même que, dans l'autre cas, on ne peut raisonnablement penser à un autre système que celui qui existe présentement, car il a placé le Canada au rang des États les plus développés économiquement et socialement, y compris sa participation au Groupe des sept qu'il faut conserver à tout prix!

Se pourrait-il que ce manichéisme soit entretenu par des clans peu imaginatifs mais imbus de pouvoir pour mener soit à une indépendance totale du Québec, sans aucun lien avec le Canada, ce qui semble être refusé démocratiquement par une majorité de Québécois, soit au maintien d'un *statu quo* qui, en définitive, finira par aliéner non seulement des autochtones, mais aussi des citoyens de l'Ouest qui exigent un fédéralisme plus décentralisé dans certains domaines et certaines institutions.

Si on persiste à tout placer dans le même sac, il sera impossible de parvenir à une nouvelle répartition des pouvoirs entre Ottawa et Québec, tout en tenant compte aussi des droits des autochtones. La stratégie visant, d'une part, à isoler le Québec dans une fédération de provinces égales et à marginaliser le fait français hors Québec risque de pousser à une indépendance totale du Québec laquelle pourrait, d'autre part, être une perte de temps dans un contexte où l'on chercherait ensuite un nouvel arrangement visant à mettre en place une formule de régime liée à la souveraineté-association. On risque entre-temps de perdre des moments précieux, des énergies considérables et de provoquer des bouleversements inutiles, imprévisibles et sûrement fort traumatisants pour une forte majorité de la population.

Certes, tout dépendra de nombreux phénomènes, à commencer par la conjoncture économique au Québec, au Canada et à l'échelon mondial et, évidemment, de l'état des passions et des intérêts. Cela dépendra aussi des rapports de forces, du niveau d'influence et de la qualité des leaders et des négociateurs qui auront la responsabilité de s'occuper des dossiers généraux et spécifiques. Bref, le Canada et le Québec auraient besoin d'un Jean Monnet — l'inspirateur de la Communauté européenne — dont la vision et la mission sortent des analyses figées et des sentiers battus; non pas pour pratiquer le mimétisme, mais bien pour dégager une restructuration originale fondée sur les réalités canado-québécoises dans un univers en mutation.

Mais, par-dessus tout, il faut miser sur la primauté de la démocratie réelle. Si la population du Québec est convaincue, après avoir analysé les enjeux, que sa dignité et son épanouissement exigent un État souverain, alors elle devra être logique et vivre avec ses convictions et les conséquences de ce choix démocratique.

Mais qu'arrivera-t-il si la population québécoise répond «non» à la souveraineté, encore une fois? Les tenants de l'État-nation accepteront-ils de bon gré ce verdict démocratique? Si c'est «oui», comment réagiront les fédéralistes inconditionnels? La démocratie, ce n'est pas simplement ce

qui précède, mais aussi ce qui suit les élections et les référendums. D'ailleurs, l'indépendance, dans le monde avancé,
c'est un peu comme la popularité. Elle ne se décrète pas; elle
s'acquiert et elle se prouve. L'indépendance des êtres et des
sociétés doit être fondée sur du concret et non sur des
intentions et des formalités. Dans le monde de demain,
l'indépendance réelle et non simplement formelle résidera
certes sur le pouvoir mais davantage sur le savoir. C'est à
l'acquisition de ce savoir mondial et du savoir-faire international qu'il faut songer davantage pour obtenir la véritable
liberté, la dignité, la sécurité et la prospérité.

Des peuples, vivant dans les pays les plus avancés
d'Europe, notamment en Suisse, ont choisi démocratiquement de vivre ensemble dans un même État. Mais chaque
peuple a le droit de définir et d'exprimer son identité. Les
Québécois devraient librement pouvoir déclarer leur sentiment d'appartenance au Québec, au Canada ou aux deux, de
façon consciente et spontanée. Ce n'est pas une maladie et
encore moins une faute d'être fier d'être Québécois ou
Canadien ou des deux à la fois. Seuls des gens qui ne voient
pas ce qui se passe présentement en Europe peuvent affirmer
le contraire. On peut avoir des convictions personnelles et
partisanes sans pratiquer une forme d'intolérance anti-
québécoise, anticanadienne ou antiautochtone.

À propos des choix démocratiques, les Québécois ont
évidemment la possibilité d'évoquer les grandes Déclarations
sur le droit des peuples à disposer d'eux-mêmes. On a ici un
exemple très concret des discordances entre la proclamation
d'un droit et son recours ou sa mise en œuvre par des gens
perspicaces ou par des personnes peu conscientes des réalités
internationales. Il s'agit certes de textes pertinents sur le plan
juridique, mais il est aussi évident que les autochtones peuvent, en les invoquant de la même manière, trouver de plus
en plus d'appuis et de sympathies à l'étranger.

On n'a qu'à analyser les suites de la Conférence des
Nations unies sur l'environnement et le développement économique, à Rio de Janeiro, en juin 1992. Plusieurs ont

suggéré de faire passer le dossier du barrage de Grande Baleine de l'action de Greenpeace à celle d'Amnistie Internationale! De nombreux activistes internationaux, surtout à l'occasion des fêtes de 1992 marquant le cinqcentième anniversaire de la «découverte» de l'Amérique par Christophe Colomb, ont vu là une autre «juste cause» à brandir. Dans ce dossier délicat où les enjeux sont majeurs, le Québec a intérêt à réagir de façon très rationnelle. Qu'on le veuille ou non, le dossier est devenu «international» et, cette fois, les intérêts sont beaucoup plus importants que ceux de «l'affaire des bébésphoques». Il faut éviter les dialogues de sourds et surtout des réactions où l'on risque de retourner contre le Québec les discours des intégristes sur le colonialisme.

En réalité, la problématique québécoise n'a rien à voir avec l'effondrement des empires coloniaux et de l'empire soviéto-communiste. Tout rapprochement ne peut qu'engendrer des confusions dans les esprits et une déroute inévitable lors du référendum pour ceux qui entretiendraient de telles comparaisons, lesquelles ne résistent pas à l'analyse sérieuse de l'histoire des dernières décennies et des environnements géopolitiques.

Cependant, on ne peut, d'une part, prétendre constamment que la source principale de la crise canadienne soit le Québec et, d'autre part, ne pas entreprendre les démarches et prendre les décisions susceptibles de répondre à ce défi, ce qui implique au minimum la reconnaissance de l'«endogénéité» et un nouveau partage des pouvoirs qui permettraient aux Québécois d'avoir une certaine «sécurité culturelle» et d'avoir en main les atouts pour entrer de plain-pied dans la société internationale et postindustrielle du XXIᵉ siècle. Le dilemme, ici, c'est qu'il n'est pas prouvé qu'ils y parviendront mieux seuls ou dans un Canada transformé. Mais rien n'est jamais prouvé en politique.

C'est pourquoi il serait sage de réfléchir beaucoup plus aux fonctions futures qu'à la stricte structure de l'État et d'analyser davantage la nature évolutive de la démocratie. En fait, il devient de plus en plus évident que les dimensions du *contenant étatique* traditionnel — territoire, population, gouvernement, souveraineté, reconnaissance internationale et capacité d'entretenir des rapports internationaux — qui rapproche théoriquement tous les États, perd de son sens lorsqu'on aborde le *contenu étatique*. De plus, si pendant longtemps on a reconnu l'importance de la nature idéologique de l'État — totalitaire, libérale, socialiste, capitaliste, laïque ou religieuse, par exemple — on admet maintenant que les pays industrialisés évoluent progressivement vers des horizons étatiques analogues. C'est pourquoi on parle partout de la crise de l'État. Celle-ci n'affecte pas seulement les pays en développement mais aussi les pays industrialisés où la démocratie est solidement implantée et où les problèmes sont souvent de nature et de gravité fort différentes de ceux des pays en développement.

Contrairement à ce que l'on a cru pendant longtemps, l'État n'est pas un organisme statique mais bien une entité dynamique qui est en constante relation avec la société. La fonction initiale de *gendarme* qui consistait simplement à faire coïncider le contrôle militaire (l'armée, la police), la paix et l'ordre avec le contrôle juridique (droit, tribunaux, douanes, fiscalité) sur le territoire a été rejointe par la *fonction sociale et informative* qui avait pour but d'assurer la cohésion de la société, l'intégration de tous les citoyens et de fournir des informations et des statistiques sur l'état de la nation. Ensuite, l'État a développé sa *fonction éducationnelle* et *sanitaire*, à tel point que des actes considérés auparavant comme privés, (fumer, jeter des produits toxiques sur son propre terrain, ne pas boucler sa ceinture au volant) sont devenus des actions sociales.

Par la suite et au milieu de nombreux changements politiques, idéologiques et sociaux, *l'État-providence* est venu s'occuper du progrès général des citoyens et assurer leur bien-être en réduisant leurs incertitudes économiques (assurance chômage, rentes) et en cherchant à créer des égalités minima. C'est ce qui a poussé en fait «l'État nourricier» dans une autre fonction, celle de *producteur* de biens et services et de *régulateur de l'économie.* On a donc assisté, à peu près partout, à une croissance exponentielle du rôle de l'État qui l'a mené bien loin du concept initial du laisser-faire où le meilleur État était celui qui gouvernait le moins et se limitait au contrôle de l'armée, de la monnaie et de la conduite des relations internationales.

Le Canada, y compris le Québec, a connu la même évolution malgré la prise du pouvoir par différents partis politiques. Or, face à l'échec des expériences de planification trop centralisée dans l'État maximum et des modèles économétriques acculturés, vides de sens social et humain dans l'État minimum, on assiste, à l'heure actuelle, dans la plupart des pays industrialisés, à une lutte entre, d'une part, les néo-keynésiens et les sociaux-démocrates, partisans d'un interventionnisme modéré et, d'autre part, les disciples de Von Mise et de Von Hayek, tenants du libre marché qui veulent réduire l'action de l'État. Si ces derniers font des gains sur le plan strictement économique, d'une façon générale une très forte majorité de citoyens souhaite voir augmenter les responsabilités de l'État en matière de sécurité physique et sociale, de santé, de justice, de minimum économique vital et d'environnement. En réalité, on assiste presque partout à des interpénétrations entre les actions de l'État et celles du secteur privé.

Paradoxalement enfin, là où on réclame un *dégraissement de l'État au plan national*, on voit croître le rôle international de l'État, avec la multiplication des échanges, l'interdépendance, les contentieux interétatiques et la globalisation. L'État «laisser-faire» est bien agonisant quoi qu'en disent certains disciples de Murray Rothbarts et autres anarcho-libéraux. Il en va de même pour l'État de type marxiste, malgré la résistance tenace en Chine, au Viêt-nam, à Cuba et en Corée du Nord, mais pour combien de temps encore? La vraie problématique ne repose pas dorénavant sur «l'État en plus» ou «l'État en moins» mais bien sur «l'État en mieux». Les oppositions fondamentales, dans les pays industrialisés, ne seront plus entre socialisme et capitalisme mais, comme l'a exposé Michel Albert dans *Capitalisme contre Capitalisme*

(Le Seuil, 1991), entre deux systèmes qu'il appelle, d'une part le capitalisme de type rhénan valorisant la réussite collective comme c'est le cas en Allemagne et, d'autre part, le capitalisme de type néo-américain fondé sur la réussite individuelle.

Le rôle de l'État n'est plus d'être partout «directif» et encore moins «producteur» mais bien d'être «catalytique» en cherchant de nouvelles synergies qui, progressivement, feront naître des consensus de types différents et, éventuellement, plusieurs genres de contrats de société plutôt qu'un seul contrat social.

Dans la poursuite d'objectifs à peu près identiques, à savoir l'efficacité économique et la justice sociale, tous les États industrialisés et d'économie mixte, où le marché est orienté et corrigé, sont confrontés au même dilemme: d'un côté, la mise en œuvre de la loi et des programmes sociaux et, de l'autre côté, la possession réelle des moyens et des ressources pour la faire respecter et les maintenir. Il en ressort que l'allocation de ces moyens et ressources à tous les paliers publics, national, provincial, régional, municipal, commissions scolaires, services de santé, de sécurité et de transport, est devenue une des préoccupations principales des élus et des administrateurs, à une époque d'austérité.

Ces derniers font face à des contribuables de plus en plus exigeants qui affirment d'ailleurs payer trop d'impôts et de taxes. Face à la récession et aux effets négatifs de la taxe fédérale sur les produits et services (TPS) et appréhensifs devant un élargissement de la taxe québécoise sur la valeur ajoutée (TVQ), on a tous les ingrédients non seulement pour pousser les consommateurs à faire davantage d'achats aux États- Unis — ce qui accélère la crise économique au Canada et pousse de nombreux marchands à la faillite — mais aussi à préparer une révolte des contribuables qui veulent conserver tous leurs avantages sociaux et leurs services publics, mais ne veulent plus en assumer les coûts. Les réformes en matière de fiscalité et de programmes sociaux sont à l'ordre du jour de tous les gouvernements.

Alors qu'autrefois les électeurs étaient engagés en bloc et *a priori*, selon les familles et les milieux, les circonstances sont bien différentes aujourd'hui. Ces transformations dans les attitudes, le niveau d'éducation et d'information — compte tenu du rôle majeur de la télévision — ont eu des effets profonds sur la nature même de la démocratie et de l'exercice du pouvoir. On évolue de plus en plus, dans les démocraties occidentales, vers des coalitions d'intérêts et des corporatismes de pensées, car les intérêts divergents sont devenus trop nombreux pour pouvoir garantir une majorité absolue. Les grands partis politiques eux-mêmes sont formés de coalitions internes qui ne manquent pas, le cas échéant, de s'entre-déchirer. Si on s'entend avant la prise du pouvoir, on est souvent en désaccord sur la façon de l'assumer et de l'exercer.

Ce phénomène est le reflet exact des comportements de plus en plus variés, impulsifs et changeants des électeurs qui n'hésitent plus à répudier un parti qui n'a pas servi leurs intérêts particuliers plutôt qu'à en élire un autre. Les partis «traditionnels» sont fort contestés et on n'hésite plus à décrier leurs inaptitudes face aux problèmes économiques et à la montée des groupes extrémistes. En fait, presque tous les pays occidentaux se sont donné, depuis les années 30, des programmes et des services qu'ils ne peuvent plus financer sans recourir à des déficits budgétaires considérables. Le vieillissement des sociétés, la croissance des coûts des programmes et des services, de même que les attentes multipliées des populations, créent des distorsions dans presque tous les systèmes publics et para-publics alors que le ralentissement économique frappe de plein fouet une bonne partie du secteur privé. Presque partout les électorats sont très préoccupés par le chômage, l'insécurité, la corruption et par les gaspillages éhontés comme le montre bien François de Closets dans *Tant et plus* (Grasset/Seuil, 1992).

La détermination des priorités devient donc cardinale dans les circonstances et c'est là qu'apparaissent vraiment les intérêts, les passions, sans oublier les expressions de toutes les formes de corporatismes, depuis les adeptes du golf, de la chasse et de la pêche, jusqu'aux défenseurs des droits des animaux en passant par les postiers, les policiers, les sapeurs-pompiers, les écologistes, les médecins et les adversaires de l'avortement, pour ne donner que quelques exemples. C'est, dans trop de cas, ces passions et ces intérêts qui opposent le Canada et le Québec, Ottawa et les provinces, les anglophones, les francophones, les autochtones, et tant d'autres groupes; mais il y a aussi d'autres motifs.

Ainsi, de nombreux anglophones sont mal à l'aise dans le Québec francophone. Malgré les efforts d'Alliance Québec qui s'efforce de faire valoir leurs droits et leurs intérêts, sans arriver à les regrouper véritablement, malgré l'existence de l'Equality Party, créé sous un coup de cœur et de passion, mais dont le leadership et la cohésion demeurent précaires, plusieurs d'entre eux sont frustrés et inquiets, car ils ont de moins en moins de leaders politiques forts et respectés au Québec et sont pratiquement tenus de se «mettre au français» dans les institutions publiques. Ils se sentent exclus du Parti québécois et trahis par le Parti libéral du Québec. Presque tous récusent fortement la Loi 178 sur l'affichage en français. Certains ont la sensation de perdre progressivement le contrôle d'organismes et de sociétés qu'ils ont établis dans le passé. Plusieurs se sentent mis de côté ou obligés de justifier leur présence, alors que le Québec a besoin de leurs talents. Ils commencent à découvrir les vertus des droits collectifs, sur le plan scolaire notamment. En effet, la Loi 101 ne leur permet plus d'intégrer les enfants d'immigrants dans leurs écoles publiques où le nombre des inscriptions diminue régulièrement aux niveaux primaire et secondaire, mais non aux niveaux collégial et universitaire.

Ils voient leur nombre et leur pouvoir politique réel se réduire comme une peau de chagrin au Québec, même si leur langue et leur culture ne sont pas menacées en Amérique du Nord. Plusieurs Anglo-Québécois de plus de quarante ou cinquante ans vivent mal l'attrition de leur ancienne situation privilégiée, alors que les plus jeunes, qui deviennent bilingues, s'adaptent mieux. Mais la course à l'emploi demeure problématique, et nombre d'entre eux affirment qu'ils quitteront le Québec en cas de sécession. Un très grand nombre d'anglophones vivent un dilemme fort angoissant: Comment être à la fois pleinement Canadien au Québec, comme ce fut toujours le cas dans le passé, ce qui implique une forme de marginalisation du nouvel univers québécois, ou comment participer directement à un nouveau Québec sans se marginaliser dans le Canada tout entier? En réalité, ils n'acceptent pas, psychologiquement, la condition de minoritaires même s'ils la sentent de plus en plus, comme c'est le cas des minorités francophones hors Québec.

De leur côté, un nombre important de Québécois francophones sont mal à l'aise pour d'autres raisons et se sentent rejetés dans le Canada, surtout dans le système constitutionnel actuel. Ils vivent mal le rejet de leur projet de société distincte par une majorité de Canadiens anglophones.

D'ailleurs, ils ne peuvent pas, face à un avenir incertain, rester indifférents devant un processus d'assimilation et surtout de «minorisation» qui les touche implacablement en Amérique du Nord et devant leur déclin proportionnel au Canada: de 100 pour 100, à côté des autochtones, en 1760, ils étaient 50 pour 100 en 1867; et environ 24 pour 100 en 1990. Face à cela, les Québécois francophones ont choisi d'être plus compétents individuellement et collectivement et de renforcer leurs assises juridiques et constitutionnelles pour identifier et vivifier de façon positive leur «endogénéité». Ceux qui ne comprennent pas ce phénomène ne pourront jamais saisir l'inquiétude collective toujours sous-jacente des Canadiens français et singulièrement latente des Québécois francophones, au-delà des choix et des comportements individuels de plusieurs qui décident librement de quitter le Québec et d'abandonner leur culture pour des raisons fort diverses.

On sent actuellement vibrer cette inquiétude qui est l'objet de différents types d'action et de récupération, comme ce fut souvent le cas dans le passé par différents groupes, à commencer par les mouvements de Louis Joseph Papineau et des Patriotes de 1837; par la Société Saint-Jean-Baptiste, fondée par Ludger Duvernay, en 1834; par la Ligue nationaliste, établie en 1903; par l'Action française des années 20, transformée en l'Action nationale, en 1933; par le mouvement Jeune-Canada, créé en 1932, autour du *Manifeste de la jeune génération*, rédigé par André Laurendeau; par l'Ordre de Jacques Cartier (la Patente) à la même époque; par la Ligue (anticonscriptionniste) pour la défense du Canada, en 1942; par l'Église catholique elle-même et de nombreux organismes qui furent une pépinière de futurs leaders canadiens-français, notamment l'Association canadienne de la Jeunesse catholique (A.C.J.C.), la Jeunesse ouvrière catholique (J.O.C.), la Jeunesse étudiante catholique (J.E.C.). Tous ces mouvements se sont transformés et ont donné naissance à d'autres institutions, mouvements et partis politiques qui, depuis le Mouvement pour un Québec français, le Mouvement national des Québécois et Québécoises jusqu'au Parti québécois, en passant par la Société Saint-Jean-Baptiste et l'Action Nationale, cherchent aujourd'hui à galvaniser le nationalisme québécois. À la veille du référendum de 1992, Mouvement Québec s'efforçait de regrouper toutes les forces politiques, syndicales et de nombreux mouvements et associations nationalistes.

Pour les uns, les Québécois francophones doivent cesser d'avoir peur de s'asseoir sur leur chaise et de craindre ceux qui sont assis à côté d'eux, car tous sont au même spectacle planétaire. Pour d'autres qui acceptent l'idée voulant que s'asseoir sur sa chaise c'est ne prendre la place de personne, il faut éviter que ne se vident trop de sièges dans l'auditorium québécois. On dépasse ainsi la problématique du «quoi» pour mettre l'accent sur celle du «comment».

Certes, l'indépendance totale du Québec lui donnerait tous les pouvoirs théoriques, mais à un coût tel que ses porte-parole préfèrent généralement parler de souveraineté-association. Ils veulent ainsi réduire les effets imprévisibles d'une indépendance complète dont les coups et les coûts ne peuvent pas être uniquement de nature économique. Il est naïf, même utopique de croire ou de prétendre qu'on peut «découdre et raccommoder» le Canada sans achoppement majeur. Comment peut-on décrire d'abord comme «un pays sans bon sens» un État avec lequel il sera «hautement sensé» de s'unir dans un second temps. C'est un argument frivole que seule la passion peut pousser à exprimer. Il y a d'autres arguments plus solides et plus convaincants en faveur de la souveraineté québécoise.

De plus, on ne peut s'attendre à gagner sur tous les plans! Quiconque a la moindre expérience de négociations à l'échelon international sait que, à l'exception de la menace du recours à la force — et ici le Québec est bien mal placé — il faut toujours faire des concessions lorsqu'on veut rester à la table de négociations pour obtenir certains avantages. Autrement, il faut se retirer et subir les conséquences de son retrait, surtout lorsque sa carotte et son bâton sont moins imposants. La seule voie est donc celle de la démocratie et de la négociation représentative et raisonnée; autrement, rien n'est plus certain que la confusion précédée et suivie de discours nébuleux et hargneux où l'on s'accusera mutuellement de provocation, si ce n'est de terrorisme politique, économique et intellectuel!

Pour atténuer les effets éventuels d'une séparation complète, certains prévoient rationnellement une négociation avec le Canada anglais, après un référendum sur la souveraineté que l'on affirme émotionnellement être déjà gagné, ce qui est loin d'être une certitude. Ces négociations indispensables, d'ailleurs souhaitées par des majorités considérables au Québec et au Canada anglais, devraient conduire nécessairement à des compromis qui réduiront forcément la portée de la souveraineté absolue. Elles mèneront probablement vers un statut *sui generis*, c'est-à-dire «un Québec fondé sur l'endogénéité et la compétence».

Naturellement, il s'agit d'un sentiment et non d'une réalité, car personne ne peut prédire précisément l'avenir. Cependant, si l'on se limite aux passions et aux intérêts et si les offres soumises par le gouvernement Mulroney sont rejetées, les choix, selon les passions opposées, seraient limités soit à un «*statu quo* légèrement modifié», soit à «l'indépendance totale du Québec probablement sans association avec le reste du Canada», même si plusieurs responsables du Parti québécois affirment que les Québécois pourront conserver la monnaie, la citoyenneté et le passeport canadiens. Encore ici, il s'agit d'une possibilité mais non d'une certitude, car près de 90 pour 100 des Canadiens anglais affirment ne pas être disposés à faire de telles concessions à un Québec souverain.

C'est pourquoi la question qui sera posée lors du référendum sera encore une fois déterminante. Plusieurs affirment qu'il faudra poser une question claire, précise et concise, dépourvue d'ambiguïté. Alors, on prendrait la mesure réelle des passions et des intérêts du Québec contemporain. Selon eux, les Québécois devraient pouvoir choisir entre *statu quo*, fédération renouvelée, confédération, souveraineté-association ou indépendance totale.

Il n'est pas certain qu'on suivra un tel scénario, car il est évident qu'aucun gouvernement ne peut se permettre de perdre une deuxième fois un référendum. Sur ce point, Libéraux et Péquistes sont d'accord. Le pouvoir de négociation du Québec avec le ROC serait anéanti. On peut donc s'attendre à une question d'une portée plus générale, liée à la souveraineté-association ou à des offres du gouvernement fédéral dont les résultats repousseraient encore dans le temps la question de la souveraineté étatique au sens classique. D'ailleurs, la tenue éventuelle du référendum ou d'un plébiscite pancanadien risque de modifier complètement les scénarios. Quoi qu'il en soit, il est probable que le libellé de la question sera établi en fonction des résultats des ultimes sondages; or, ceux-ci peuvent fluctuer d'un côté comme de l'autre, selon les humeurs nouvelles et la prudence traditionnelle des Québécois.

\* \* \*

Quoi qu'il arrive, lors des référendums, les mutations qu'a connues le monde au cours de la dernière génération et qu'il connaîtra à l'avenir à un rythme accéléré, font entrer le Québec et le Canada à la fois dans le monde postindustriel et dans l'ère matricielle, c'est-à-dire celle des réseaux qui bouleverseront les manières de voir et de penser et augmenteront sensiblement le nombre des entités inter, para, supra et nongouvernementales; elles modifieront profondément les rapports interindividuels, intersociétaires, interétatiques et interentités intergouvernementales, c'est-à-dire entre les organismes internationaux eux-mêmes. La rapidité des transformations scientifiques, technologiques et psychologiques font que l'univers de l'an 2030, c'est-à-dire dans quarante ans à peine, sera encore plus différent du monde d'aujourd'hui que celui-ci ne l'est par rapport à l'univers de 1950.

Il est donc indispensable d'analyser comment ces mutations vont affecter le Québec et le Canada dans les domaines les plus divers, notamment dans les manières de voir et de penser. Certes, les passions et les intérêts ne peuvent être absents du processus, mais il faut y introduire des éléments de rationalité qui conduiront quasi inévitablement vers le concept pratique et juridique de compétence dévolutive plutôt qu'à celui de souveraineté absolue. Ceci n'exclut pas du tout l'existence de la notion d'État mais la transforme, l'adapte et la prépare aux réalités de demain.

Si on ne tend pas, aussi bien au Québec qu'au Canada anglais, vers cet objectif, on assistera à de sérieuses et malencontreuses confrontations d'où personne ne sortira «gagnant», car on n'aura pas pu ou voulu comprendre vraiment au départ la nature des mutations que nous réserve le monde de demain. En mettant l'accent essentiellement sur «le niveau de vie» à garder et à promouvoir, des fédéralistes orthodoxes réduisent la portée des véritables enjeux Québec-Canada, de la même manière que des sécessionnistes qui limitent le projet de société des Québécois au «genre de vie» et à «l'identité culturelle».

L'avenir de la société québécoise, de la société canadienne comme celui de toutes les autres sociétés dépend de la mise en œuvre de ces deux concepts. Si on évacue l'une ou l'autre de ces dimensions, on masque inévitablement une partie des réalités et on risque de rater ainsi le train de l'ère quaternaire économique et sociale. Si on veut bien leur en exposer toutes les facettes, les Québécois sont aussi aptes que tout autre peuple à faire des choix en tenant compte de l'ensemble des facteurs qui déterminent leur avenir: c'est le fondement même de la démocratie réelle.

Autrement — et c'est très possible — on risque de tomber dans le réductionnisme, la démagogie, de réinventer des clichés et de poser des gestes ridicules. Les antisouverainistes ont sans doute songé à des coups du genre de celui de la «Brinks»: à la veille du référendum de 1980, certains stratèges avaient cru nécessaire, pour affoler les Québécois, d'imaginer et de filmer des voitures blindées de la Société Brinks en affirmant que celles-ci contenaient et déplaçaient les avoirs de nombreuses banques de Montréal vers Toronto. Ce genre d'engin risque bien maintenant d'exploser dans les mains de leurs concepteurs, car la peur a disparu. Il risque plutôt de déclencher une réaction de colère jusqu'alors contenue.

Cependant, les propagateurs du syndrome du FUD (Fear, Uncertainty, Doubt) étaient toujours à l'œuvre pour «troubler» les Québécois: on évoquait déjà la possibilité d'une guerre civile, de l'intervention de l'armée canadienne, de l'effondrement total de l'économie, du rétrécissement du territoire québécois, du refus de reconnaissance d'un Québec souverain par le Canada et d'autres pays, de la fuite de capitaux et de cerveaux, de la disparition des programmes sociaux comme les allocations familiales, l'assurance chômage et les pensions de vieillesse — non seulement au pays mais aussi à l'étranger, afin d'effaroucher le plus grand nombre, en particulier les fonctionnaires fédéraux, qui n'auraient pas encore «fait leur lit», avant la tenue du référendum.

Ainsi, madame Diane Francis, choisie dans un magazine canadien-anglais «femme de l'année 1991» a pu écrire dans le *Financial Post,* dont elle est éditrice que «si Parizeau veut devenir président du Québec, il devra obtenir l'accord de chaque Canadien, y compris de ceux qui vivent à l'extérieur du Québec. Sans quoi, la séparation serait un véritable hold-up avec prise d'otages... Parizeau et sa bande de bandits de grands chemins seraient renversés et arrêtés!» Si la femme québécoise de l'année, directrice par surcroît d'un important quotidien économique, exprimait la moitié de tels propos au sujet des leaders anglophones qui prônent une réduction de l'usage du français hors Québec, elle serait vite taxée de «paranoïaque», et de «nationaliste xénophobe»!

Quelles que soient la nature et la portée réelle des menaces et des épouvantails soulevés ici et là, plusieurs Québécois, aussi bien des fédéralistes que des souverainistes, ont fébrilement commencé à anticiper les événements et déjà transféré une part de leurs avoirs personnels aux États-Unis, surtout en Floride, et en Europe.

De leur côté, les intégristes n'ont plus rien à gagner en ressortant des tiroirs des années soixante les discours portant, d'une part, sur ce que sont et veulent les «vrais Québécois de souche», les «pures laines» et, d'autre part, sur «l'absence de liberté, sur l'exploitation et l'état colonisé du Québec», car ceci ne manquera pas de troubler et de choquer de nombreux observateurs internationaux et des ressortissants étrangers, notamment de la francophonie, qui envient la liberté et la prospérité qui existent au Québec.

Si les Canadiens et les Québécois ont droit à des discours fondés sur les réalités et un sens des vérités, ils doivent aussi en saisir, ce qui n'est pas aisé, les complexités. C'est sur la nature de ces complexités et des mutations nationales et internationales que devraient aussi s'articuler les débats Québec-Canada, du moins en tenir compte.

Or, toutes ces mutations ne sont pas faciles à expliquer et encore plus difficiles à accepter, surtout lorsqu'elles ont des effets économiques négatifs. Ainsi, les agriculteurs et l'industrie agro-alimentaire découvrent avec effroi l'impact que risquent d'avoir les nouveaux accords du GATT au Québec, tout comme des industries — jouissant de tarifs préférentiels d'Hydro-Québec — dont les produits seront peut-être frappés d'un tarif compensateur, même dans le cadre du libre-échange avec les États-Unis. La restructuration économique mondiale qui s'abat présentement sur le Canada et le Québec et l'impact majeur du libre-échange ne font que commencer. Cette rude période de changements n'est pas l'unique apanage du Québec et du Canada, mais celui de toutes les sociétés industrialisées. La crise majeure que connaissent les États-Unis est loin d'être terminée de même que ses effets au Canada et au Québec.

Par conséquent, il est inévitable que ces problèmes économiques affectent de plein fouet le débat constitutionnel Québec-Canada, car ils créent beaucoup d'inquiétude et même d'angoisse face à la dégradation de la situation économique et de nombreux services, en particulier ceux de la santé, de l'éducation, des transports et de la sécurité.

Théoriquement et pratiquement, deux termes caractérisent bien les états d'âme des Québécois: «inquiétude» et «lassitude», par-delà les credos constitutionnels et d'autres motifs fort personnels et très disparates.

En effet, à côté des convictions politiques, les facteurs strictement économiques, interprétés souvent de façons contradictoires, feront pencher un grand nombre de Québécois en faveur ou contre la souveraineté. Pour les uns, c'est l'unique façon de sortir de la crise; pour d'autres, c'est l'assurance de ne jamais en sortir. Plusieurs Québécois sont convaincus que la situation économique du début des années 90 est si mauvaise qu'elle ne pourrait être pire dans un Québec souverain. Certes, il y aurait, selon eux, un coût d'ajustement pendant environ une décennie mais, par la suite, la crise serait résorbée, les malentendus auraient disparu, et le peuple québécois serait aux commandes de son destin.

C'est un fait que la plupart des nouveaux États sont nés beaucoup plus à la suite de coups de cœur et de passions que de décisions raisonnées. Plusieurs affirment que les Québécois sont «à bout» et projetés vers la souveraineté, car ils sont étreints par la «lassitude» et une «détermination à en finir» qui frise la résignation ou une forme d'indifférence qui touche même les milieux étudiants, ce qui inquiète beaucoup les milieux souverainistes qui craignent des défections et des abstentions, comme on l'a vu lors du vote pour le maintien du bilinguisme dans la municipalité de Rosemère, près de Montréal, au printemps 1992. D'autres ajoutent qu'ils regretteront ce choix immédiatement après l'avoir fait et qu'ils voudront le corriger. Parmi toutes les hypothèses possibles, trois semblent incontournables en présence d'un référendum portant sur la souveraineté ou sur des offres présentées par le Canada, ce que semble souhaiter le Premier ministre Bourassa, même si ceci allait probablement l'obliger à amender la Loi 150 malgré de fortes oppositions.

Premièrement, une majorité de Québécois ne manifeste plus la soumission de ceux à qui on a appris à se taire ou à dissimuler leurs sentiments, leurs convictions et leur exaspération. Ils sont fatigués d'expliquer ce qui est évident. Ceci s'applique aussi bien aux jeunes qu'aux personnes âgées. Ces dernières sont beaucoup moins influençables aujourd'hui qu'elles ne l'étaient en 1970 ou en 1980. En bout de ligne, à côté d'une minorité qui veut son «État-nation» à n'importe quel prix, plusieurs Québécois francophones ne décideront pas de leur avenir constitutionnel parce qu'ils croient fermement à la souveraineté ou au fédéralisme en soi. Ils décideraient en se fondant sur leur conception de la liberté individuelle et collective, leur sentiment d'appartenance réelle, la fierté nationale, la sécurité et la prospérité ainsi que la possibilité d'obtenir une nouvelle forme de *parité sociétale et culturelle* avec le Canada anglais, afin d'être confiants en l'avenir, un peu à la manière des francophones en Suisse. Ce qu'ils recherchent avant tout, c'est la respectabilité, c'est-à-dire d'être non seulement acceptés, mais aussi d'être respectés pour ce qu'ils sont et ce qu'ils font, c'est-à-dire pour leur identité et leur compétence.

De nombreux Québécois francophones ne veulent plus connaître le sentiment d'infériorité, de marginalisation ou de mépris dont, à tort ou à raison, ils se sentent affligés dans tel ou tel milieu canadien. Ils croient que «si les Canadiens anglais ne veulent pas d'eux, ils peuvent bien se débrouiller sans eux». Ceux qui ne voient pas ce phénomène font du «surfing politique» et ne sont jamais descendus loin dans la conscience des francophones. Ils s'en servent plutôt qu'ils ne la servent. Le Québec francophone n'accepte plus d'être vu simplement comme une province mais veut être perçu comme une société. C'est le défi du Canada de demain qu'il est urgent de relever avec intelligence et imagination, réalisme et sens de l'ouverture et de la perspective. L'enjeu décisif entre le Québec francophone et le Canada anglophone est là: «passion d'être» reconnu en tant que société, «désir d'avoir» un espace d'agir et de penser en tant que société respectueuse des droits individuels, des droits collectifs et ouverte aux droits humanitaires. Ces trois aspects sont indissociables.

Il ne s'agit pas seulement d'une question de statuts et d'arrangements constitutionnels qu'on arriverait bien à imaginer avec des négociateurs raisonnés et raisonnables. Il s'agit aussi d'une question de parité et d'équité qui accompagne la restructuration du Canada et du Québec, car elle tient à la reconnaissance et au souci d'harmonisation des sociétés anglophone et francophone. C'est un problème d'éthique lié à la notion de «devoir et de vouloir» sur deux plans: le Québec peut être souverain, mais doit-il l'être, dans le sens traditionnel de la souveraineté absolue? Le Canada peut reconnaître des pouvoirs différents et un statut distinct au Québec, mais le veut-il et le doit-il?

Deuxièmement, l'expérience du rejet de l'Accord du lac Meech a été déterminante; on ne le redira jamais assez. Ce fut sans doute l'une des expériences qui ont démontré de façon percutante l'asymétrie des visions et des perceptions. Alors que le Canada anglais proclame que seules deux provinces ont refusé de ratifier l'accord et que l'on n'a jamais voulu «rejeter» le Québec, la majorité des Québécois ont lu les résultats des sondages qui signalaient que près de 70 pour 100 des Canadiens anglais y étaient opposés.

Ce rejet a engendré au Québec un sentiment de déception et de colère que le Canada anglais, dans son ensemble, a sans doute vu, mais dont il n'a pas saisi, ni compris le sens profond: ce moment historique a marqué l'inconscient et l'imaginaire québécois, en devenant le signe d'un autre rejet canadien et le symbole d'un nécessaire nouveau projet québécois. On aura beau tenter de souligner qu'il ne s'agit que d'une étape ratée comme bien d'autres auparavant: c'est une erreur car, pour la majorité des Québécois, c'était une occasion unique d'arriver à un consensus sans douleur, d'en finir pour un long moment avec les débats constitutionnels et de se pencher sur la solution d'autres problèmes tout en empêchant que le débat et l'«agenda» ne soient redéfinis par des porteurs d'idées minoritaires qui aiment jouer les Antigone ou les Cassandre. Rien ne sera plus pareil dorénavant car la plaie est profonde; la route vers une nouvelle forme de réconciliation sera longue et jonchée d'embûches et de pièges inutiles.

L'échec de l'accord du lac Meech a fait vieillir rapidement les Québécois qui en sont venus à penser qu'il était indispensable de mettre fin au piétinement constitutionnel. Selon un nombre croissant d'entre eux, seul un message clair, à l'occasion du référendum ou d'une élection référendaire, pourra créer un nouveau rapport de forces et un nouveau climat politique dans les rapports Québec-Canada. Naturellement, ici comme ailleurs en politique, rien n'est jamais coulé dans le béton! Il faudra toujours négocier, quelle que soit la structure constitutionnelle qui sera retenue.

Cependant, l'échec de l'Accord du lac Meech a servi de révélateur à un triple titre. D'abord, il a mis en lumière que le Canada anglais n'était pas encore prêt à reconnaître que le Québec devrait avoir des pouvoirs législatifs particuliers. Deuxièmement, cet échec a démontré que les Québécois sont beaucoup plus calmes et sereins qu'en 1970 ou qu'en 1980 dans la poursuite des pouvoirs fondamentaux qu'ils réclament. Troisièmement, tous semblent maintenant admettre qu'il est urgent de trouver des moyens de sortir d'une impasse qui affecte et empoisonne la recherche de solutions à d'autres problèmes, en commençant par la lutte contre le chômage et la pauvreté, le contrôle des déficits budgétaires, la drogue et la violence, la création d'emplois pour les jeunes, une meilleure insertion des femmes, des autochtones et des immigrants dans la société politique et économique, la protection de l'environnement, de même que des questions internationales fort déterminantes pour l'avenir du Québec.

Personne ne peut prouver que ces problèmes seront mieux réglés dans un Québec indépendant que dans le cadre d'un Canada reconstitué; par exemple, il ne suffit pas d'être présent au GATT et au FMI, il faut analyser les avantages dont jouit maintenant le Québec et quelle serait sa situation s'il était souverain. Il en va de même pour l'OTAN, le NORAD, l'OCDE, l'ONU et les institutions spécialisées, la Banque mondiale, les banques régionales de développement, l'OEA, le Commonwealth et même la Francophonie, pour ne donner que quelques exemples, sans oublier ce qui est le plus décisif, c'est-à-dire la situation d'un Québec souverain face au libre-échange avec les États-Unis et peut-être avec le Mexique. Une société aussi avancée que le Québec ne peut pas négliger ces questions sans réserver des lendemains tumultueux à la population. C'est une question d'intégrité politique, de sagesse économique et de bon sens pratique.

Enfin, le «climat politique» jouera un rôle important. S'il faut miser sur un réservoir de bonne volonté, on doit se rendre compte que plusieurs forces en présence sont peu disposées à éviter des voies qui mènent presque inévitablement à des perturbations brutales, en laissant miroiter le contraire. Ainsi, la présentation du Livre vert de messieurs Mulroney et Clark, *Bâtir ensemble l'avenir du Canada*, a suscité un défoulement qui s'inspirait souvent moins de ce document que de ce qui l'entourait. Tous les efforts pour passer vite aux actes sans discussion ressemblaient à une condamnation sans procès car, selon les uns, Ottawa donne toujours trop au Québec et, selon d'autres, n'accorde jamais assez!

De plus, les tentatives pour «déterrer les morts», pour juger le Québec d'aujourd'hui à partir du Canada français d'hier, risquent d'avoir l'effet d'un boomerang. Il en va de même de certaines analyses du Canada anglais. Personne de serein n'oserait passer un jugement sur l'Allemagne, le Japon, la France, l'Italie et l'Espagne d'aujourd'hui à partir de ce qui s'y est déroulé pendant les années trente ou quarante. Ce genre d'arguments démontre que trop d'analyses du Québec contemporain et du Canada anglais manquent de sérénité. Ainsi, on sait fort bien que McKenzie King, qui fut Premier ministre du Canada pendant plus de vingt-deux ans (1921-26; 1926-30; 1935-48), consultait parfois une voyante avant de prendre certaines décisions. On n'oserait pas extrapoler à partir d'un tel fait véridique et historique pour porter un jugement d'ensemble sur les leaders canadiens-anglais d'aujourd'hui.

Les analyses faites de part et d'autre au sujet du chanoine Lionel Groulx (1878-1967), un des principaux maîtres à penser du nationalisme canadien-français sont aussi révélatrices. Disciple de Barrès et de Maurras, professeur à l'Université de Montréal, historien prolifique, fondateur de l'Institut d'Histoire de l'Amérique française et de l'*Action nationale*, auteur de *Notre maître le passé* et de l'*Appel de la race*, l'abbé Groulx fut un chef de file dont l'influence fut considérable jusqu'au début de la Révolution tranquille. En plus de marquer plusieurs générations, il a laissé son nom à de nombreuses institutions, rues, et à une station de métro, ainsi qu'une Fondation vouée à sa mémoire et à son œuvre. Certains de ses propos et de ses écrits «de tendance antisémite», datant des années 1930, font l'objet d'une controverse qui n'est pas porteuse d'avenir, car elles opposent des gommeurs d'Histoire à des inquisiteurs qui vont chercher dans la vie d'autrefois des éléments de dénonciation d'une situation qui n'existe plus globalement aujourd'hui. D'un côté comme de l'autre, l'objectivité scientifique y gagnerait si on laissait ces péripéties d'hier, qui n'ont plus de prise auprès des jeunes générations, aux soins d'historiens respectueux aussi bien de la vérité que des contextes historiques.

Face à la critique, d'aucuns ont la sensibilité si vive qu'ils réagissent comme des porcs-épics, des esprits simples ou condescendants qui peuvent dire ou écrire n'importe quoi, mais qui sont outragés dès qu'ils entendent des commentaires qui ne leur plaisent pas, même s'ils sont vrais, et qu'ils préféreraient pousser sous le tapis.

En revanche, toutes les personnes soucieuses de vérité et qui ont un peu d'épine dorsale, ne peuvent que rétablir la vérité ou sourire devant des analyses primaires et provocantes qui établissent des liens entre les comportements de la tribu québécoise d'aujourd'hui et les nationalistes des années 30 ou qui n'hésitent pas à comparer le Québec au Qatar et à la Roumanie, à côté desquels un Québec souverain siégerait à l'ONU. On comprend pourquoi, avec de tels conseils, plusieurs jeunes Canadiens anglais n'hésitent pas à affirmer que les «francophones n'ont aucun motif de se plaindre, pas plus que les Mexicains qui immigrent au Canada»! On peut se poser des questions sérieuses sur le sens de l'équité et même du «fair play» de ces jeunes et de tous ceux qui prônent publiquement de réduire l'action de la Société Radio-Canada hors Québec où il est déjà difficile de trouver une chaîne en français parmi une trentaine en anglais, alors qu'au Québec il en existe autant en anglais qu'en français, et parfois plus, sur le câble.

À l'inverse, nombre de Québécois francophones font souvent des déclarations qui démontrent qu'ils méconnaissent ou sous-estiment la culture et de nombreuses dimensions très positives et très avancées de la vie du Canada anglais, à côté des sports et des espaces touristiques. Ainsi, de nombreux écrivains et artistes canadiens-anglais sont plus lus et connus en France qu'au Québec. C'est évidemment déplorable. En même temps, trop de francophones minimisent aussi l'influence grandissante des Néo-Québécois dans le débat Québec-Canada. On cultive ainsi d'anciennes et de nouvelles solitudes.

Les comparaisons et les assertions mentionnées plus haut risquent d'avoir plusieurs effets négatifs. D'abord, elles incitent déjà un grand nombre de Canadiens et de Québécois à se replier sur eux-mêmes et à préférer pratiquer ou regarder le hockey, le baseball, le golf ou le football, à songer à la chasse et à la pêche, à jouer aux cartes ou aux échecs, à écouter Mozart, Madonna, Céline Dion ou le festival de l'humour, à s'engager totalement dans leur travail professionnel et dans la vie culturelle ou dans des œuvres visant à aider des défavorisés, à consacrer tout leur temps libre à des activités à caractère non politique ou à suivre l'évolution de la politique municipale, étrangère et internationale plutôt que de s'intéresser aux débats constitutionnels. Ensuite, elles conduisent à une polarisation extrême d'un débat qui aura toujours besoin de se dérouler entre personnes éclairées. Car, ici comme ailleurs, il faut se rendre à l'évidence que moins l'on en sait sur les autres et l'étranger, plus on pratique les fantasmes. Or, quoi qu'il arrive, il faudra toujours négocier. Le Québec ne partira jamais à la dérive dans l'Atlantique! Enfin, les critiques sélectives et partielles, ne montrant que les aspects négatifs de la société québécoise ou du Canada anglais, poussent inévitablement plusieurs francophones et anglophones à se durcir face à des gens qui pratiquent un double langage, en oubliant la poutre dans leur œil et en voyant toujours la paille dans celui de l'autre.

Plusieurs pensent qu'il est inutile de rétorquer, car le débat n'en vaut plus la peine et que toute recherche d'accommodement est une pure perte de temps. Il est incontestable que de nombreux Canadiens et Québécois ont opté pour le silence, car ils ne comprennent pas très bien les enjeux ou en ont marre des «chicanes constitutionnelles». Ils ne dissimulent plus qu'ils en ont «ras le bol» et sont saturés de ces débats.

D'autres sont soit confus, soit craintifs face à des gens de leur milieu qui les assomment avec leurs intérêts idéologiques ou personnels ou leurs passions pro-Québec ou pro-Canada. Un nombre croissant de Canadiens et de Québécois désabusés optent pour la vie à l'étranger. Plusieurs vont s'établir aux États-Unis; en effet, un grand nombre de professionnels profitent de la nouvelle situation créée par le libre-échange; il ne faut pas oublier aussi les centaines de milliers de «snowbirds» qui passent une partie de l'hiver «dans le Sud», mais toujours pour une durée de moins de six mois car, s'ils y séjournaient plus longtemps, ils perdraient leurs avantages sociaux, dont l'assurance santé!

En revanche, nombreux sont ceux qui adhèrent en bloc aux idées reçues ou «officielles» sans se poser trop de questions. Or, la stratégie de certains leaders est de tenter de réduire le débat à ceux qui sont «pour le Québec et contre le Canada» ou «pour le Canada et contre le Québec». Quiconque n'est pas avec eux est contre eux... Ainsi, tout en s'en défendant avec force, on crée dans plusieurs endroits un climat de suspicion à la canadienne — on commence déjà à s'inquiéter de la fidélité éventuelle des contingents francophones de l'armée canadienne — ou de suspicion à la québécoise — on ne tarde pas, en certains milieux, à ridiculiser, dénigrer ou marginaliser toute personne qui ose critiquer l'idéologie indépendantiste. Dans les deux cas, la foi politique devient alors plus importante que la compétence, la tolérance, le sens de l'éthique et de la vérité; on écorche ainsi les principes mêmes de la démocratie, alors qu'on prétend vouloir la servir.

Or, dans le monde de demain, seule la compétence donnera une forme d'indépendance et de dignité aussi bien individuelle que collective. Cette compétence et ce pouvoir seront de plus en plus fondés sur la connaissance, l'information, la technique, le savoir, le savoir-faire, l'ouverture au monde et d'autres éléments qui exigent des milieux où l'émulation et le respect des idées diverses sont la règle et non l'exception.

De part et d'autre, on cherche à limiter la gamme des choix en faisant abstraction de nombreux phénomènes. On veut faire croire à la population que c'est un choix entre «noir» et «blanc», alors que tout est déjà fort gris! Que c'est un choix entre un Québec «dans» le Canada ou «hors» du Canada. La démarche elle-même est intellectuellement erronée car elle bloque toute autre approche et se situe au ras des pâquerettes. Elle veut arrêter le temps et réduire les risques. On veut accaparer les discours et définir deux logiques où l'on devrait nécessairement s'engager. Hors de ces voies, il n'y aurait pas de salut! C'est le contraire de la démocratie et la voie la plus sûre vers des affrontements non porteurs d'avenir.

Si le Québec doit devenir souverain, il ne faut pas que ce soit pour le simple plaisir d'acquérir une souveraineté formelle, mais bien pour des raisons sérieuses, fondées sur un projet positif, clairement identifié et exprimé, qui n'est pas contre qui que ce soit, mais bien pour un Québec compétent, tolérant et ouvert. De plus, on ne peut politiquement et moralement demander aux Québécois de faire un choix faussé qui les inviterait à choisir entre leur œil gauche ou leur œil droit, sous prétexte qu'ils doivent se départir de l'un, alors qu'ils ont besoin des deux. La souveraineté doit présenter un pas en avant et non un pas en arrière dans la réalisation de leur être et de leur mieux-être individuel et collectif. Évidemment, en période de crise économique, c'est un projet qui crée de nombreuses hésitations chez les uns, mais qui ne fait pas déroger les autres à leur désir profond d'un Québec souverain, fondé sur la volonté démocratique. Il est aussi évident que ceci soulève de nombreuses inquiétudes et surtout de nombreuses passions et tensions qui nuisent, selon tous, au développement économique normal du Québec et du Canada.

C'est en partie pourquoi plusieurs Canadiens anglais et Québécois francophones croient, parfois avec sérénité, qu'on a atteint un cul-de-sac psychologique, culturel et politique et qu'un divorce est préférable à un mauvais mariage; au minimum, il vaut mieux faire chambre à part avant d'en arriver à un nouveau mariage de raison, car la passion n'est plus là. Le temps finit parfois par accommoder les détours et les vagabondages que prennent les rêves. Si on ne peut pas vivre en couple, on se contentera alors de former un duo.

# CONCLUSION
## Un Québec *sui generis*, fondé sur l'endogénéité et la compétence dévolutive

En exergue de cet essai, j'ai placé le célèbre mot que Galilée prononça, en s'amendant, en 1633, après avoir été condamné par l'Église pour avoir déclaré que la terre était ronde et qu'il y avait un cosmos au-delà de l'univers connu: *Eppur'si muove!* (et pourtant elle tourne).

C'est principalement à cause de cet univers évolutif et en profonde mutation plutôt qu'en vertu d'un monde déjà construit et arrêté qu'un Québec *sui generis* se développera et «évoluera» avec un Canada éventuellement restructuré. Mais de nombreux facteurs subjectifs et objectifs seront en même temps les conditions de cette «évolution»: il faudra, de part et d'autre — et ce n'est pas prouvé — beaucoup de vision, de savoir, de rationalité et de sens du compromis. Mais toute solution, suivant un ou plusieurs référendums, dépendra surtout de phénomènes fort réels tels que la stabilité ou l'instabilité sociale, la situation économique, les rapports de multiples forces internes comme les médias, les opinions et les passions publiques, l'engagement ou l'abstention d'une partie de la population, le rôle des élites politiques et économiques, culturelles et intellectuelles, les qualités des leaders et leurs compétences en tant que négociateurs, sans oublier les pressions de l'environnement international. Enfin, nul ne peut prédire l'avenir. Des phénomènes absolument imprévisibles, aujourd'hui, peuvent modifier, demain, les comportements et l'évolution des événements.

Qu'on le veuille ou non, on ne peut pas évacuer le débat constitutionnel. Il est là, dans la vie quotidienne des Canadiens et des Québécois. Il le sera jusqu'au jour où, de part et d'autre, on acceptera de voir et de reconnaître, non plus à partir des passions et des intérêts, mais bien d'une appréhension raisonnable, les réalités sociétales que représentent le Québec et le Canada dans un univers en pleine mutation. Certes, il faudra toujours compter avec une bonne dose de naïveté et de cynisme de part et d'autre, car les Canadiens anglais et les Québécois francophones ne sont a priori ni bons ni mauvais, comme tous les êtres d'ailleurs. Cependant, ils sont aussi soucieux que d'autres de bien vivre et d'être bien dans leur corps et leur esprit. Ce bien-être, partout dans le monde, exige, à côté de nombreux autres facteurs, une certaine cohérence constitutionnelle. Or, le Québec connaît un contexte constitutionnel nébuleux depuis 1982. Ceci n'empêche pas le Québec d'exister et d'évoluer en pratique, mais crée une problématique constante qui doit être démocratiquement résolue.

Tous les pays civilisés se sont définis à partir d'un corpus constitutionnel. C'est fondamental non seulement pour le maintien d'une forme d'ordre et d'harmonie, de progrès économique et culturel, mais aussi pour le développement de la démocratie, y compris d'un patriotisme légitime ou du moins d'un ethos qui affirme certaines valeurs. Il ne fait plus de doute — et les innombrables débats, commissions, messages ininterrompus sur «l'unité du Canada» et «le caractère distinct du Québec» le prouvent chaque jour — qu'il faut trouver des solutions concrètes à la crise dans les rapports Québec-Canada, sans oublier la situation des autochtones qui ont des revendications légitimes. C'est une responsabilité incontournable face aux générations futures.

La population du Canada anglais croît trois fois plus rapidement que celle du Québec francophone. Le Québec a eu le taux de croissance démographique le plus élevé du monde occidental jusqu'en 1957, avec une moyenne de 4,08 enfants par femme en âge d'enfanter; il est tombé, trente ans plus tard, à 1,37, l'un des taux les plus bas au monde, alors qu'il faut un taux minimal de 2,1 pour assurer le simple renouvellement de la population. Si une partie du problème y trouve sa source principale, ce n'est plus là la seule réponse. En effet, de nombreux pays connaissent des situations identiques et tentent d'apporter des solutions sur les plans familial et politique. Il devient de plus en plus évident que les francophones québécois n'acceptent pas d'être ou de devenir les sujets d'une fatalité historique, politique, économique, technologique et démographique qui les ferait disparaître progressivement plutôt que de leur permettre de maîtriser et de forger leur avenir, là au moins où ils sont encore majoritaires, c'est-à-dire au Québec.

L'État n'est ni un point de départ ni un aboutissement; c'est un système d'organisation de vie sociétale qui évolue nécessairement et doit faire progresser et non faire régresser les sociétés. L'Histoire a mis en lumière de façon fort convaincante ces deux tendances, surtout au cours des dernières décennies. Par-dessus tout, la volonté démocratique, le bon sens et l'équité doivent prévaloir, de même qu'une certaine perspicacité, en se rappelant la pertinence de l'adage de Lao Tseu selon lequel «si l'on ne voit pas loin, on verra les ennuis de près».

On pourrait aussi penser à un autre sage chinois, Confucius. Certains de ses disciples, troublés parce que leur maître avait toujours une réponse judicieuse à leurs questions, décidèrent, un jour, de lui tendre un piège — toujours des pièges — en lui demandant si l'oiseau que l'un d'eux tenait dans sa main, derrière son dos, était mort ou vivant. Si le maître dit qu'il est vivant, alors le disciple n'aura qu'à lui tordre le cou sur le champ. Si, au contraire, Confucius juge que l'oiseau est mort, l'étudiant le laisserait s'envoler sous ses yeux. Le maître réfléchit un instant et répondit: «Mon ami, la solution est entre vos mains...»

«Une» solution — mais non «la» solution définitive — au problème constitutionnel Québec-Canada était entre les mains de la population qui, de façon démocratique, devait en principe s'exprimer, en 1992 ou plus tard, en réponse aux propositions faites par les comités de parlementaires canadiens et québécois. Au cours de ce référendum québécois et peut-être d'un référendum pancanadien — qu'une majorité de gens, même au Québec, semble souhaiter bien qu'il risque de susciter des divisions —, la population donnera au gouvernement du Québec un mandat, fondé soit sur l'indépendance totale, la souveraineté-association, un fédéralisme asymétrique ou renouvelé reconnaissant le caractère distinct du Québec et sa compétence prépondérante dans des juridictions concurrentes. Devraient ensuite débuter de difficiles négociations, mais dans un esprit d'une nouvelle parité, pour la première fois depuis 1760; ces négociations pourront déboucher éventuellement sur un Québec *sui generis*; naturellement, de nombreuses tensions vont perdurer, même si on arrivait à une nouvelle forme d'accord entre le Québec, le Canada et les autochtones. Il y aura toujours des problèmes à résoudre et des contentieux à régler, comme dans toutes les autres régions du monde.

La survie et le progrès de la collectivité francophone en Amérique du Nord seront constamment un combat, quel que soit le régime ou le statut constitutionnel du Québec. C'est un mythe de prétendre qu'on réglera les problèmes une fois pour toutes! Quoi qu'il arrive, les francophones, les anglophones et les autochtones du Canada et du Québec sont condamnés à partager l'avenir, non seulement avec leurs voisins immédiats, mais aussi avec un monde qui, loin d'être arrêté, évolue de plus en plus rapidement. Ils deviennent quotidiennement les témoins instantanés de cet univers en mutation, de ses progrès et de ses reculs, de ses bouleversements, de son rétrécissement mais surtout de l'élargissement de ses nouvelles frontières sous-marines et extraterrestres que l'on commence à peine à explorer, de même que des frontières illimitées du savoir. Cependant, ceci ne doit pas les empêcher d'avoir aussi «les deux pieds sur terre» et de relever leurs manches pour régler lucidement les problèmes «dans leur propre cour». En effet, les êtres humains continueront de se définir à partir d'un territoire, d'un peuple, d'un groupe ethnique, d'une culture, d'une langue et souvent d'une religion, tout en accordant plus d'importance à un nombre croissant de phénomènes comme leurs professions, leurs goûts, leurs loisirs, leurs intérêts, leurs convictions, leur participation à des groupes locaux et nationaux qui ont des affiliations ou des interactions internationales. D'ailleurs, les êtres humains ont de plus en plus de préoccupations à caractère universel.

Par conséquent, à l'instar de ce qui se passe ailleurs dans le monde, notamment dans les autres pays industrialisés, la sphère canadienne et québécoise continuera de «tourner» non seulement avec de nombreux citoyens influencés par des «passions d'être» et des «désirs d'avoir», mais aussi avec des gens de plus en plus préoccupés par les mutations multiples et les restructurations indispensables que suscite, d'une part, l'entrée dans l'ère du quaternaire économique favorisant la globalisation et les standardisations et que suppose, d'autre part, l'époque du postmodernisme, reconnaissant une multiplicité de façons de voir, de penser dans les domaines politique, économique, social, technologique, intellectuel et spirituel.

Ce paradoxe mondial qui engendre, aujourd'hui, des certitudes et des incertitudes ainsi que de nombreux dilemmes, mènera sans doute, demain, à de nouveaux parallélismes, à de nouvelles confrontations, mais aussi, comme le démontrent les recherches de pointe actuelles, à de nouvelles convergences. Celles-ci, tout en n'excluant pas les «passions d'être» et les «désirs d'avoir», faciliteront probablement une meilleure appréhension des virtualités de l'endogénéité dynamique et de la compétence dévolutive dans la recherche de solutions démocratiques à de nombreux problèmes locaux, nationaux et internationaux, y compris ceux des francophones, des anglophones et des autochtones du Québec et du Canada car, comme le soulignait Jean Monnet, l'une des personnalités les plus visionnaires du XX^e siècle: «Nous ne pouvons nous arrêter quand autour de nous le monde entier est en mouvement».

le 15 avril, 1992

# REMERCIEMENTS

Ce texte reprend des extraits d'une conférence intitulée: *Québec-Canada: nouvelles perspectives?*, prononcée le 27 juin 1991, à l'Institut France-Canada, à Paris. Je tiens à remercier ses responsables, notamment la secrétaire générale, Me Martine Bourry, et plusieurs membres qui m'ont incité à développer et à publier mes réflexions. J'exprime aussi ma gratitude à la direction de l'ENAP, de l'Université Paris I Panthéon-Sorbonne, du Kellogg Institute for International Studies pour leur concours ainsi qu'à plusieurs collègues du cabinet Godin, Raymond, Harris, Thomas, de Montréal pour leurs encouragements et leur appui; je n'oublie pas les secré-taires qui «cent fois sur le traitement de texte» ont transcrit dans la bonne humeur mes griffes manuscrites, ce qui m'a incité finalement à me mettre moi-même au «Word Perfect», ce que j'aurais dû faire, il y a longtemps...

Je suis reconnaissant à l'endroit de mon épouse, de mes enfants, de nombreux amis, de plusieurs étudiants et profes-seurs à Montréal, à Paris et à l'Université Notre-Dame qui, directement ou souvent sans le savoir, ont influencé ma pensée. Je suis redevable à Me Abel Mac Van et à Me Robert Hackett ainsi qu'à Paul-André Comeau, Réginald Grégoire, Pierre Patry, Louis Berlinguet et Jean-François Bonin pour leurs commentaires judicieux. J'assume évidemment la res-ponsabilité de toutes les idées et de toutes les erreurs pos-sibles. Je remercie enfin les éditeurs pour l'intérêt et la dili-gence qu'ils ont manifestés dès qu'ils ont pris connaissance du manuscrit.

# REPÈRES BIBLIOGRAPHIQUES

Plusieurs études ayant déjà été mentionnées dans cet essai, on trouvera ici d'autres ouvrages qui constituent un éventail d'opinions sur les rapports Québec-Canada. Pour une connaissance historique plus approfondie, on pourra consulter d'abord les cinq volumes suivants:

BROWN, Craig (ss la dir. de). *Histoire générale du Canada*, Montréal, Boréal, 1990, édition française dirigée par Paul-André Linteau.

CORNELL P.G., HAMELIN, Jean, OUELLET, Fernand, TRUDEL, Marcel. *Canada, Unité et diversité*, Toronto, Holt, Rinehart et Winston, 1971.

LINTEAU, Paul-André, DUROCHER, René, ROBERT, Jean-Claude, RICARD, François. *Histoire du Québec contemporain*, deux tomes, Montréal, Boréal, 1989.

LACOURSIÈRE, J., PROVENCHER, J., VAUGEOIS, D. *Canada – Québec, synthèse historique*, Montréal, Éditions du Renouveau pédagogique, 1977.

OUELLET, Fernand. *Histoire économique et sociale du Québec 1760-1850*, Montréal, Fides, 1966.

\* \* \*

ARÈS, Richard. *Nos grandes options politiques et constitutionnelles*, Montréal, Bellarmin, 1972.

BALTAZAR, Louis, LAFOREST, Guy, LEMIEUX, Vincent (ss la dir. de). *Le Québec et la restructuration du Canada 1980-1992, Enjeux et Perspectives*, Québec, Septentrion, 1991.

BARBEAU, Raymond. *J'ai choisi l'indépendance*, Montréal, Éditions de l'Homme, 1961.

BEAUDOIN, Gérald A. *Le partage de pouvoirs*, Ottawa, Éditions de l'Université d'Ottawa, 1980.

BEHIELS, Michael D. *The Meech Lake Primer, Conflicting Views of the 1987 Constitutional Accord*, Ottawa, University of Ottawa Press, 1989.

BERGERON, Gérard. *Le Canada français après deux siècles de patience*, Paris, Seuil, 1967.

BERNIER, Ivan. *International Legal Aspects of Federalism*, London, Longman, 1973.

BLACK, E. *Divided Loyalties, Canadian Concepts of Federalism*, Montreal, McGill-Queen's University Press, 1975.

BOURGAULT, Pierre. *Maintenant ou jamais*, Montréal, Stanké, 1990.

BROSSARD, Jacques, PATRY, André, WEISER Elizabeth. *Les pouvoirs extérieurs du Québec*, Les Presses de l'Université de Montréal, 1967.

BRUN, H., TREMBLAY, G. *Droit Constitutionnel*, Cowansville (Qc), Les Éditions Yvon Blais Inc.,1982.

BRUNET, Michel. *Québec-Canada anglais: deux itinéraires, un affrontement*, Montréal, HMH, 1968.

CAIRNS, Alan & Cinthia WILLIAMS, (ss la dir. de). *Constitutionalism, Citizenship and Society in Canada*, Toronto, University of Toronto, Press, 1985.

Canada, Commission de l'unité canadienne. *Se retrouver*, Ottawa, ministère des Approvisionnements et Services, 1979.

Canada, Commission royale d'enquête sur le bilinguisme et le biculturalisme. *Rapports*, Livre I, Ottawa, 1967.

CHAPUT, Marcel. *Pourquoi je suis séparatiste*, Montréal, Les Éditions du Jour, 1961.

CLARKSON, Stephen, McCALL, Christina. *Trudeau and Our Times*, Vol I: *The Magnificent Obsession*, Toronto, McLelland and Stewart, 1990.

CHEVRETTE, F., MARX, H. *Droit Constitutionnel*, Montréal, Presses de l'Université de Montréal, 1982.

COMEAU, Paul-André. *Le bloc populaire, 1942-48*, Montréal, Québec/ Amérique, 1982.

COURCHESNE, Thomas. *Ottawa and the Provinces: The Distribution of Money and Power*, Toronto, Ontario Economic Council, 1985.

COOK, Ramsey. *Canada, Quebec and the Uses of Nationalism*, Toronto, McLelland and Stewart, 1986.

D'ALLEMAGNE, André. *Le colonialisme au Québec*, Montréal, Éditions R.-B., 1966.

DION, Léon. *Québec 1945-2000;* tome I, *À la recherche du Québec,* Québec, Les Presses de l'Université Laval, 1987.

DUFOUR, Christian, *Le défi québécois,* Montréal, L'Hexagone, 1989.

DUMONT, Fernand, *La vigile du Québec, essai,* Montréal, Les Éditions HMH, 1971.

ELLIOTT, J.L. (ss la dir. de), *Two Nations, Many Cultures: Ethnic Groups in Canada,* Scarborough, Prentice Hall, 2ᵉ éd., 1983.

FARIBAULT, Marcel et FOWLER, Robert M. *Dix pour un — le pari confédéral,* Montréal, Les Presses de l'Université de Montréal, 1965.

FORSEY, Eugene. *A Life on the Fringe, the Memoirs of Eugene Forsey,* Toronto, Oxford University Press, 1990.

FORTIN, Jacques. *Québec, le défi économique,* Sillery, Presses de l'Université du Québec, 1990.

FOURNIER, Pierre. *Autopsie du lac Meech: la souveraineté est-elle inévitable?,* Outremont, VLB Éditeur, 1990.

GAGNON, Alain-G. et LATOUCHE, Daniel. *Allain, Bélanger, Campeau et les autres: les Québécois s'interrogent sur leur avenir,* Montréal, Québec/Amérique, 1991.

GODIN, Pierre. *La poudrière linguistique, la révolution tranquille 1967-70,* Montréal, Boréal, 1990.

GUINDON, Hubert. *Quebec Society, Tradition, Modernity and Nationhood,* Toronto, University of Toronto Press, 1988.

HENRIPIN, Jacques. *La population du Québec d'hier à demain,* Montréal, Les Presses de l'Université de Montréal, 1991.

HOGG, Peter. *Constitutional Law of Canada,* 2nd edition, Toronto, The Carswell Company Limited, 1985.

HOLLOWAY, Kaye. *Le Canada, pourquoi l'impasse?,* Paris, Librairie Générale de Droit et de Jurisprudence, et Montréal, Nouvelle Optique, 1984.

JOHNSON, Daniel. *Égalité ou Indépendance,* Montréal, Éditions de l'Homme, 1967.

LALANDE, Gilles. *Pourquoi le fédéralisme? Contribution d'un Québécois à l'intelligence du fédéralisme canadien,* Montréal, Hurtubise-HMH, 1972.

LAMONTAGNE. Maurice, *Le fédéralisme canadien, évolution et problèmes,* Québec, Les Presses de l'Université Laval, 1954.

LATOUCHE, Daniel. *Le Canada et le Québec, un essai rétrospectif et prospectif,* Ottawa, Volume 30, Commission royale sur l'Union économique et les perspectives de développement du Canada, 1985.

LAURENDEAU, André. *Ces choses qui nous arrivent*, Montréal, Hurtubise-HMH, 1970.

LÉGER, Jean-Marc. *La francophonie: grand dessein, grande ambiguïté*, Montréal, Hurtubise, HMH, 1987.

LESAGE, Gilles. (ss la dir. de). *Le Québec et le lac Meech. Un dossier du Devoir*, Montréal, Guérin Littérature, 1987.

LÉVESQUE, René. *Option Québec*, Montréal, Les Éditions de l'Homme, 1968.

— *Attendez que je me souvienne*, Montréal, Québec/Amérique, 1987.

LISÉE, J.-F. *Dans l'œil de l'aigle, Washington face au Québec*, Montréal, Boréal, 1990.

McWHINNEY, E., *Canada and the Constitution 1979-1982*, Toronto, University of Toronto Press, 1982.

MEEKISON, Peter (ss la dir. de). *Canadian Federalism, Myth and Reality*, Toronto, Methuen Publications, 1968.

MEISEL, John, «J'ai le goût du Québec but I like Canada», dans R. Siméon (ss la dir. de), *Le Canada face à son destin*, Québec, Les Presses de l'Université Laval, 1978.

MILNE, David. *Tug of War: Ottawa and the Provinces under Trudeau and Mulroney*, Toronto, Lorimer, 1986;

MONAHAN, Patrick J. *Meech Lake, the Inside Story*, Toronto, University of Toronto Press, 1991.

MONIÈRE, Denis. *Le développement des idéologies au Québec des origines à nos jours*, Montréal, Québec/Amérique, 1977.

MORIN, Claude. *Lendemains piégés: du référendum à la nuit des longs couteaux*, Montréal, Boréal, 1988.

MORTON, W.L. *The Canadian Identity* (2e éd.), Toronto, University of Toronto Press, 1972.

PAQUET, Gilles, et WALLOT, Jean-Pierre. *Le Bas-Canada au tournant du 19e siècle; restructuration et modernisation*, Ottawa, Faculté d'administration, Université d'Ottawa, 1988.

PELLETIER, Gérard. *Le temps des choix (1960-1968)*, Montréal, Stanké, 1986.

PORTER, John. *The Vertical Mosaic: An Analysis of Class and Power in Canada*, Toronto, University of Toronto Press, 1967.

RÉMILLARD, Gil. *Le fédéralisme canadien*, Montréal, Québec/Amérique, 1980.

RIOUX, Marcel. *La question du Québec*, Paris, Seghers, 1969.

ROCHER, Guy. *Le Québec en mutation*, Montréal, Hurtubise-HMH, 1973.

ROY, Jean-Louis. *Le choix d'un pays: le débat constitutionnel Québec-Canada 1960-67*, Montréal, Leméac, 1967.

RUSSELL, Peter. *Nationalism in Canada*, Toronto, McGraw-Hill Company of Canada, 1966.

RYAN, Claude (ss la dir. de). *Le Québec dans le Canada de demain, avenir constitutionnel et statut particulier*, Montréal, Éditions du Jour, 1967.

SCOTT, F.R. *Civil Liberties and Canadian Federalism*, Toronto, University of Toronto Press, 1959.

SÉGUIN, Maurice. *L'idée de l'indépendance, genèse et historique*, Trois-Rivières, Boréal Express, 1968.

SIEGFRIED, André. *Le Canada, les deux races*, Paris, Librairie Armand Colin, 1906.

— *Le Canada, puissance internationale*, Paris, Librairie Armand Colin, 1937.

SMILEY, Donald V. *Canada in Question, Federalism in the Seventies*, Toronto, McGraw Hill Ryerson, 1972.

SIMEON, Richard. *Intergovernmental Relations and the Challenge of Canadian Federalism*, Kingston, Institut des relations intergouvernementales, Université Queen's, 1979.

SOLDATOS, Panyotis. *Souveraineté-association, l'urgence de réfléchir*, Montréal, Éditions France-Amérique, 1979.

STEVENSON, Garth. *Unfulfilled Union: Canadian Federalism and National Unity*, (3ᵉ ed.), Toronto, Gage, 1989.

TÉTU Michel. *La francophonie, histoire, problématique, perspectives*, Montréal, Guérin Littérature, 1987, 1990.

TRUDEAU, Pierre Elliott. *Le fédéralisme et la société canadienne-française*, Montréal, Selection HMH, 1967.

VALLIÈRE, Pierre. *Nègres blancs d'Amérique*, nouvelle édition revue et corrigée, Montréal, Éditions Parti Pris, 1969.

VALASKAKIS, Kimon. *Le Québec et son destin international*, Montréal, Les Quinze éditeur, 1980.

VASTEL, Michel. *Bourassa*, Montréal, Éditions de l'Homme, 1991.

WEAVER, R. Kent (éd.). *The Collapse of Canada?*, Washington, The Brookings Institution, 1992.

# INDEX

# TABLE DES MATIÈRES

Typographie et mise en pages:
Les Éditions du Boréal

Achevé d'imprimer en mai 1992
sur les presses des Ateliers graphiques
Marc Veilleux, à Cap-Saint-Ignace